UN C

Portrait de Flaubert par Nadar.

LES CLASSIQUES D'AUJOURD'HUI

GUSTAVE FLAUBERT

Un cœur simple

Présentation et notes de
Marie-France Azéma

LE LIVRE DE POCHE

PRÉSENTATION

En 1875, bien après le succès de *Madame Bovary*, l'échec de *L'Éducation sentimentale*, ces deux grands romans de la désillusion romantique, Flaubert, en panne dans la rédaction de *Bouvard et Pécuchet*, se réfugie à Concarneau, lors d'une sorte de crise personnelle à la fois financière et affective. Il se met à travailler, comme toujours avec acharnement, à *« trois historiettes »*. En 1877, paraissent *Trois contes*, trois rêveries sur des figures de l'imaginaire religieux. A côté de l'histoire médiévale pleine de violence d'un saint chasseur *(La Légende de saint Julien l'Hospitalier)*, loin des figures passionnées et terrifiantes de l'Antiquité judéo-romaine *(Hérodias)*, *Un cœur simple* est l'histoire d'une servante *« mourant saintement »*, sujet qui fascine Flaubert depuis vingt ans. Il l'évoquait déjà en 1856 dans une note sobre : *« Vision mystique. Son perroquet est le Saint-Esprit »*. Il s'agit d'une pauvre femme qui, en marge des événements de son siècle, ayant à peine eu l'occasion de s'éprendre d'un homme, puis d'une enfant, s'attache à un oiseau empaillé qu'elle finit par confondre avec le Saint-Esprit. La minceur de l'anecdote recoupe une des obsessions de Flaubert, celle d'écrire *« un livre qui n'aurait presque pas de sujet, ou du moins dont le sujet serait presque invisible »*.

Ce sujet invisible serait-il un morceau d'histoire sociale et politique ? La vie de Félicité est d'abord faite de cinquante ans passés au service d'une bourgeoise normande, entre le marché et la lessive. On retrouve dans ce texte quelque chose de la précision documentaire utilisée par les frères Goncourt décrivant, en 1865, dans *Germinie Lacerteux*, la vie d'une pauvre fille. Et l'histoire sociale et politique, apparemment absente du récit, s'y manifeste pourtant de façon discrète, mais précise ; le sous-préfet qui offre le perroquet est nommé après la révolution de 1830 ; il y a des Polonais réfugiés à Pont-l'Évêque ; le culte marial se développe. Par ailleurs, le texte, souvent anticlérical, lorsqu'il met sur le même plan les émotions naïves d'un cœur simple (voir p. 47) et les notions théologiques élaborées au cours des siècles par les pères de l'Église, est bien contemporain des grands travaux positivistes sur l'histoire des religions. Renan a publié *La Vie de Jésus* en 1863.

Le conte se prête aisément au jeu des pistes autobiographiques. Ainsi, derrière Félicité, se profile l'ombre de la fidèle Julie qui servit, comme elle plus de cinquante ans, la famille Flaubert. La Normandie, omniprésente dans le récit, contribue elle aussi à nous lancer sur la voie du réalisme : pour écrire *Un cœur simple*, Flaubert a refait des promenades, retrouvé des souvenirs qu'il utilise à chaque page. Nous savons même que pour mieux décrire l'oiseau qui envahit le cœur de Félicité au point d'illuminer sa mort, il s'est documenté auprès des ornithologues, allant jusqu'à emprunter un perroquet empaillé au Muséum de Rouen : *« Je le garde pour m'emplir la cervelle de l'idée perroquet. »*

Mais Flaubert, il l'a dit, *« exècre le réalisme »* et la précision documentaire n'était pour lui qu'une sorte de mise en condition pour le travail le plus important : celui de l'écriture. Ce qui donne son sens à cette histoire, ce ne peut être que la construction du récit d'abord, puis la précision du travail inlassable sur chaque phrase, impitoyablement retouchée, comme en témoignent les manuscrits.

Le récit a été à la fois élagué et enrichi. Flaubert a gommé toutes les précisions anecdotiques, tous les détails (figurant dans les brouillons) qui nous feraient, par exemple, entrer dans les souvenirs de Mme Aubain ou qui donneraient à Félicité, à son neveu, voire au garçon boucher, une profondeur balzacienne. Mais dans ce qui reste, dans cette histoire qui refuse apparemment tout romanesque, nous pouvons voir tout ce qu'il a soigneusement, de façon, là aussi, presque *« invisible »*, apporté au canevas initial. Le moindre épisode, la plus simple des notations renforcent la cohérence du texte. Chaque page nous renvoie à une autre, toutes les images s'enchaînent pour nous indiquer la direction que prennent les pensées de Félicité. Par exemple, la description de la chambre de Félicité est placée de façon à signaler ironiquement que les somptueux reposoirs de la Fête-Dieu, décrits un peu plus loin, sont des montagnes de reliques inutiles.

Mais en même temps, Flaubert nous refuse la satisfaction d'une histoire trop bien menée et rien de ce qui est suggéré ne donne vraiment la clef du conte. Les effets de construction offerts par le texte ont beau se multiplier, les épisodes se faire écho dans un jeu suggestif de résonances, rien n'explique le mystère d'une vie. Et le lecteur hésite sur chacune des pistes indiquées : faut-il aller jusqu'à remarquer que Félicité, avant de s'éprendre d'un volatile, a été *« fille de basse-cour »*, ce qui pourrait, de façon très irrespectueuse, expliquer son attachement pour le Saint-Esprit ? Faut-il vraiment faire le rapprochement iconoclaste entre un vieux chapeau mité, le portrait du comte d'Artois, une image du baptême du Christ, et penser qu'il s'agit bien de trois reliques, à tous les sens du terme ?

Le même travail acharné a rendu le style aussi parfait qu'ambigu. Flaubert a supprimé toute élégance purement ornementale, tout effet superflu. Rien à voir avec le lyrisme flamboyant de Zola décrivant à la même époque, dans *Les Rougon-Macquart*, les misères de la condition populaire. La phrase est toujours sèche, comme épurée. Mais cette simplicité revèle à l'analyse toutes ses complexités : le choix d'un déterminant (*ces* demoiselles), l'emploi du mot précis (*couler* la lessive, p. 59) donnent à entendre aussi bien les voix des notables de province que le silence écrasé de Félicité. Le célèbre mélange des temps, de l'imparfait et du passé simple, si subtilement analysé par Proust, employé avec une précision qui rassure les linguistes, ébranle pourtant le lecteur attentif : les changements incessants de point de vue mettent en cause cette réalité qu'on prétend décrire (voir p. 56).

C'est ainsi que l'écriture, comme toujours chez Flaubert, empêche que l'on décide de ce qui l'emporte, du sentiment ou de la satire. Jamais l'ironie, féroce dans la description de cet univers étriqué, enfermé comme à plaisir dans les bondieuseries, n'exclut la tendresse dans l'évocation, pudique et distante, des sentiments violents qui traversent ces solitudes affectives. Mais jamais non plus l'apparente douceur d'un geste, d'une image ne manque d'être démentie ou tournée en dérision dans la même phrase, voire par le même mot. Le style qui multiplie les sens sert aussi à les dénoncer tous.

APERÇU CHRONOLOGIQUE

	Chronologie du récit	Événements politiques et littéraires	Vie de Flaubert
1809	Mort de M. Aubain « Les enfants sont très jeunes »		
1810	Félicité a probablement 18 ans Elle entre pour cinquante ans au service de Mme Aubain Virginie a presque 4 ans, Paul 7		
1815		1815 — Chute de l'Empire — La Restauration	
1816-1818	Virginie fait sa première communion Virginie part chez les Ursulines de Honfleur Virginie revient une fois en vacances pour l'été		
1819 (16 juillet)	Départ de Victor, le neveu de Félicité		
1821	Mort de Virginie Mort de Victor		1821 — Naissance de Flaubert
1825	On badigeonne le vestibule		
1830	On entend parler de...	...1830 — ...la Révolution de Juillet	
1832	Félicité soigne les cholériques		
1837	Mort du perroquet		
1838			1838 — Publication des MÉMOIRES D'UN FOU
1839	Paul a 36 ans et se marie M. Bourais se suicide		
1843-1844			1843-1844 — Travaille à une première version de L'ÉDUCATION SENTIMENTALE
1844			1844 — Première « crise nerveuse » A partir de 1846, s'installe à Croisset
1846			1846 — Mort de sa sœur Caroline

	Chronologie du récit	Événements politiques et littéraires	Vie de Flaubert
1848		1848 — La IIe République	
1849		1849 — Autour du tableau de Courbet *L'Enterrement à Ornans* se crée le Cénacle réaliste	
1853	Mort de Mme Aubain à 72 ans	1850 — Naissance de Maupassant (mort en 1893)	
	« Bien des années se passèrent... »	Mort de Balzac	
		1852 — Le Second Empire	
1857			1857 — MADAME BOVARY
1860	Mort de Félicité		1862 — SALAMMBÔ
1865		1865 — Les Goncourt : GERMINIE LACERTEUX	
1867		1867 — Zola : THÉRÈSE RAQUIN	
1869			1869 — L'ÉDUCATION SENTIMENTALE
1870		1870 — Guerre avec l'Allemagne Chute de l'Empire	
1871		1871 — La IIIe République Début de la publication des ROUGON-MACQUART (terminée en 1893 avec LE DOCTEUR PASCAL)	
1872			1872 — Termine LA TENTATION DE SAINT ANTOINE commencée en 1848
1874			1874 — Travaille à BOUVARD ET PÉCUCHET (inachevé) Problèmes financiers importants
1875			1875 — Rédaction des TROIS CONTES
1876		1876 — Juin : mort de George Sand, Flaubert écrit à son fils : « J'avais commencé UN CŒUR SIMPLE à son intention exclusive, uniquement pour lui plaire. »	
1877		1877 — Zola : L'ASSOMMOIR	1877 — Publication des TROIS CONTES
1880		1880 — Flaubert reçoit l'hommage des SOIRÉES DE MÉDAN	1880 — Mort de Flaubert

I

Pendant un demi-siècle[1], les bourgeoises[2] de Pont-l'Évêque[3] envièrent à Mme Aubain sa servante Félicité.

Pour cent francs[4] par an, elle faisait la cuisine et le ménage, cousait, lavait, repassait, savait brider un cheval, engraisser les volailles, battre le beurre, et resta fidèle[5] à sa maîtresse, — qui cependant n'était pas une personne agréable.

---

1. Dans ses brouillons, Flaubert a daté le service de Félicité de 1810 à 1860 (voir chronologie).

2. Au-delà des discussions théoriques sur le terme, on peut considérer, en effet, qu'une femme qui a un ou plusieurs domestiques à son service personnel appartient au moins à la bourgeoisie.

3. Flaubert connaît bien Pont-l'Évêque, un chef-lieu de canton du Calvados qui était la ville natale de sa mère ; celle-ci appartenait à cette bourgeoisie de province qu'il décrit ici, et il est probable que Mme Aubain a pour modèle une de ses parentes.

4. Les gages d'une servante pouvaient varier beaucoup (entre Paris et la province par exemple) mais ceux de Félicité sont très modestes. Dans bien des maisons, les tâches qui lui incombent auraient été exécutées par plusieurs personnes : cuisinière, laveuse, cocher, fille de ferme. Pour compléter l'appréciation : le volume des *Trois Contes* coûtait à sa parution 3,50 F.

5. Ne changea pas d'employeur.

Elle[1] avait épousé un beau garçon sans fortune, mort au commencement de 1809, en lui laissant deux enfants très jeunes avec une quantité de dettes. Alors elle vendit ses immeubles[2], sauf la ferme de Touques et la ferme de Geffosses[3] dont les rentes[4] montaient à 5 000 francs tout au plus, et elle quitta sa maison de Saint-Melaine[5] pour en habiter une autre moins dispendieuse[6], ayant appartenu à ses ancêtres et placée derrière les halles.

Cette maison, revêtue d'ardoises, se trouvait entre un passage et une ruelle aboutissant à la rivière. Elle avait intérieurement des différences de niveau qui faisaient trébucher. Un vestibule étroit séparait la cuisine de la *salle*[7] où Mme Aubain se tenait tout le long du jour, assise près de la croisée[8] dans un fauteuil de paille[9]. Contre le lambris[10], peint en blanc, s'ali-

---

1. Mme Aubain ; le changement de point de vue s'explique si l'on considère que le passage précédent rapporte les propos des bourgeoises.

2. Ses biens immobiliers, c'est-à-dire non transportables (« meubles »), comme les fermes.

3. Touques (c'est aussi le nom de la rivière qui passe à Pont-l'Évêque, voir p. 34) et Geffosses sont les noms de deux fermes appartenant à la mère de l'auteur ; nous savons que la seule ferme de Geffosses rapportait 4 000 livres (à peu près 4 000 francs) par an.

4. Revenus réguliers d'une propriété et pas seulement d'un capital.

5. Quartier de Pont-l'Évêque autour de l'église du même nom.

6. Coûteuse.

7. « Salle » désigne la pièce principale de la maison (qui comporte, par ailleurs, un salon) où se tient Mme Aubain, par opposition à la cuisine où reste la servante.

8. Fenêtre.

9. Le fauteuil de paille est plus populaire et moins élégant que les chaises d'acajou ou les bergères en tapisserie (voir note 1, p. 17).

10. Revêtement de bois qui couvrait le bas des murs jusqu'à mi-hauteur, autour des pièces.

Une servante (gravure d'après Édouard May).
Photo Jean-Loup Charmet

gnaient huit chaises d'acajou. Un vieux piano supportait, sous un baromètre, un tas pyramidal de boîtes et de cartons. Deux bergères [1] de tapisserie flanquaient la chemisée en marbre jaune et de style Louis XV. La pendule, au milieu, représentait un temple de Vesta [2], — et tout l'appartement sentait un peu le moisi, car le plancher était plus bas que le jardin.

Au premier étage, il y avait d'abord la chambre de « Madame [3] », très grande, tendue d'un papier à fleurs pâles, et contenant le portrait de « Monsieur » en costume de muscadin [4]. Elle communiquait avec une chambre plus petite, où l'on voyait deux couchettes d'enfants, sans matelas [5]. Puis venait le salon, toujours fermé, et rempli de meubles recouverts d'un drap [6]. Ensuite un corridor menait à un cabinet d'études ; des livres et des paperasses garnissaient les rayons d'une bibliothèque entourant de ses trois côtés un large bureau de bois noir. Les deux panneaux en retour disparaissaient sous des dessins à la plume, des paysages à la gouache [7] et des gravures d'Audran [8], souvenirs d'un temps meilleur et d'un luxe évanoui.

---

1. Fauteuils de salon dont les côtés, montants, sont pleins.
2. Les pendules étaient souvent agrémentées de bronzes ; le temple de Vesta, déesse du foyer, est toujours visible à Rome.
3. C'est ainsi que l'appelle la servante, comme c'est l'usage.
4. A l'époque révolutionnaire, les royalistes affichant leur élégance étaient surnommés ainsi parce qu'ils se parfumaient au musc.
5. Il y a une ou deux paillasses et pas de matelas de laine. C'était fréquent pour les lits d'enfants.
6. Pour les protéger, parce que le salon ne sert pas : la vie mondaine est réduite.
7. Peinture à l'eau.
8. Nom d'une famille de graveurs français. Il s'agit probablement de Gérard Audran qui a contribué à la diffusion des reproductions des grands tableaux de l'époque classique.

Une lucarne au second étage éclairait la chambre de Félicité, ayant vue sur les prairies.

Elle se levait dès l'aube, pour ne pas manquer la messe, et travaillait jusqu'au soir sans interruption ; puis, le dîner étant fini, la vaisselle en ordre et la porte bien close, elle enfouissait la bûche sous les cendres [1] et s'endormait devant l'âtre [2], son rosaire [3] à la main. Personne, dans les marchandages [4], ne montrait plus d'entêtement. Quant à la propreté, le poli de ses casseroles faisait le désespoir des autres servantes. Économe, elle mangeait avec lenteur, et recueillait du doigt sur la table les miettes de son pain, — un pain de douze livres [5], cuit exprès pour elle, et qui durait vingt jours.

En toute saison, elle portait un mouchoir d'indienne [6] fixé dans le dos par une épingle, un bonnet lui cachant les cheveux, des bas gris, un jupon

---

1. Pour conserver des braises jusqu'au lendemain et rallumer facilement le feu.

2. Désigne par métonymie la cheminée, mais c'est la partie du foyer où l'on fait le feu. Félicité est donc la dernière à se coucher dans la maison.

3. Variante du chapelet : une longue suite de perles (à l'origine en forme de roses), qui servent à compter les *Ave Maria* ou prières à la Vierge (quinze dizaines d'*Ave Maria* pour un rosaire). Cette piété à l'égard de la Vierge est fréquente au XIXe siècle, du moins chez les femmes.

4. En faisant le marché, Félicité économise l'argent de sa maîtresse.

5. 6 kg. La quantité n'est pas importante (un ouvrier pouvait vers 1820 manger 2 kg de pain par jour). Le pain de jadis, au levain, se conservait bien, mais devenait tout de même un peu dur au bout de vingt jours ! Les maîtres disposent certainement d'un pain plus blanc.

6. Tissu de coton, classique pour les vêtements des femmes du peuple ; à l'origine, on importait ces cotonnades des Indes.

rouge, et par-dessus sa camisole [1] un tablier à bavette, comme les infirmières d'hôpital.

Son visage était maigre et sa voix aiguë. A vingt-cinq ans, on lui en donnait quarante. Dès la cinquantaine, elle ne marqua [2] plus aucun âge ; — et, toujours silencieuse, la taille droite et les gestes mesurés, semblait une femme en bois, fonctionnant d'une manière automatique.

---

1. Sorte de chemise courte à manches portée sous la robe. La couleur rouge du jupon est classique, elle aussi, et ne produit pas l'effet voyant que nous aurions tendance à lui attribuer.

2. Montrer par une marque, des signes ; nous disons encore : « marquer de la colère ».

II

Elle avait eu, comme une autre[1], son histoire d'amour. Son père, un maçon, s'était tué en tombant d'un échafaudage. Puis sa mère mourut, ses sœurs se dispersèrent, un fermier la recueillit, et l'employa toute petite à garder les vaches dans la campagne. Elle grelottait[2] sous des haillons, buvait à plat ventre l'eau des mares, à propos de rien était battue, et finalement fut chassée pour un vol de trente sols[3], qu'elle n'avait pas commis. Elle entra dans une autre ferme, y devint fille de basse-cour[4], et, comme elle plaisait aux patrons, ses camarades la jalousaient.

Un soir du mois d'août (elle avait alors dix-huit

---

1. Comme toute autre femme. Noter le contraste très fort avec la dernière phrase du chapitre I et la brutalité de la phrase qui suit, qui n'évoque guère une *« histoire d'amour »*.

2. La dureté de cette enfance n'a rien de surprenant ; la disparition du père est une catastrophe pour toute la famille.

3. 1,50 F ! Le sol (ou sou) est une monnaie d'Ancien Régime, équivalant à 1/20 du franc. Une pièce d'argent de trente sols circulait encore au début du XIXe siècle alors que le franc était la monnaie officielle depuis 1803. Le mot « sol » ou « sou » demeure pour de petites sommes, dans des expressions figées, du type : pièce de cent sous (= 5 F).

4. Servante chargée de la volaille.

ans), ils l'entraînèrent à l'assemblée[1] de Colleville[2]. Tout de suite elle fut étourdie, stupéfaite par le tapage des ménétriers[3], les lumières dans les arbres, la bigarrure des costumes, les dentelles, les croix d'or[4], cette masse de monde sautant[5] à la fois. Elle se tenait à l'écart modestement, quand un jeune homme d'apparence cossue, et qui fumait sa pipe les deux coudes sur le timon[6] d'un banneau[7], vint l'inviter à la danse. Il lui paya du cidre, du café, de la galette, un foulard, et, s'imaginant qu'elle le devinait[8], offrit de la reconduire. Au bord d'un champ d'avoine, il la renversa brutalement. Elle eut peur et se mit à crier. Il s'éloigna.

Un autre soir, sur la route de Beaumont, elle voulut dépasser un grand chariot de foin qui avançait lentement, et en frôlant les roues elle reconnut Théodore.

Il l'aborda d'un air tranquille, disant qu'il fallait tout pardonner, puisque c'était « la faute de la boisson ».

Elle ne sut que répondre et avait envie de s'enfuir.

Aussitôt il parla des récoltes et des notables[9] de la

---

1. Réunion des villageois pour ce qui est à la fois la foire et la fête du village.
2. Un des rares noms propres du récit inventés par Flaubert.
3. Les musiciens qui font danser les gens à la fête, avec soit des violons, soit des instruments plus campagnards (« ménétrier » est un doublet de « ménestrel »).
4. Le bijou classique des paysannes aisées.
5. Sauter : danser ; voir notre « sauterie ».
6. Longue pièce de bois qui, à l'avant du char, sert à atteler.
7. Le banneau (voir notre « benne ») est ce qu'ailleurs on appelle un tombereau, un char à côtés pleins qui sert aux transports.
8. Lui et ses intentions galantes !
9. Gros fermiers, notaire, curé, bourgeois et pharmacien, qui ont une position sociale importante.

Félicité et Théodore à l'assemblée de Colleville.
(Illustration d'Émile Adam.)

Photo Roger-Viollet

commune, car son père avait abandonné Colleville pour la ferme des Écots, de sorte que maintenant ils se trouvaient voisins. — « Ah ! » dit-elle. Il ajouta qu'on désirait l'établir[1]. Du reste, il n'était pas pressé, et attendait une femme à son goût. Elle baissa la tête. Alors, il lui demanda si elle pensait au mariage. Elle reprit, en souriant, que c'était mal de se moquer. — « Mais non, je vous jure ! » et du bras gauche il lui entoura la taille ; elle marchait soutenue par son étreinte ; ils se ralentirent. Le vent était mou, les étoiles brillaient, l'énorme charretée de foin oscillait devant eux ; et les quatre chevaux, en traînant leurs pas, soulevaient de la poussière. Puis, sans commandement, ils tournèrent à droite. Il l'embrassa encore une fois. Elle disparut dans l'ombre.

Théodore, la semaine suivante, en obtint des rendez-vous.

Ils se rencontraient au fond des cours, derrière un mur, sous un arbre isolé. Elle n'était pas innocente[2] à la manière des demoiselles, — les animaux l'avaient instruite ; — mais la raison et l'instinct de l'honneur l'empêchèrent de faillir[3]. Cette résistance exaspéra l'amour de Théodore, si bien que pour le satisfaire

---

1. Donner à ses enfants, soit en les mariant, soit en les installant dans un métier, une position sociale indépendante. Ici, il s'agit du mariage. Les parents sont souvent maîtres non seulement de la décision de se marier mais aussi du choix du conjoint.

2. Qui ne sait rien des réalités physiques de l'amour ; pour des *« demoiselles »* (qui ne sont pas les filles du peuple), savoir de quoi il s'agit constituerait déjà une faute.

3. Commettre une faute en cédant à Théodore ; ce serait aussi une catastrophe sociale qui pourrait empêcher, par exemple, qu'on l'emploie.

(ou naïvement peut-être) il proposa de l'épouser. Elle hésitait[1] à le croire. Il fit de grands serments.

Bientôt il avoua quelque chose de fâcheux : ses parents, l'année dernière, lui avaient acheté[2] un homme ; mais d'un jour à l'autre on pourrait le reprendre ; l'idée de servir[3] l'effrayait[4]. Cette couardise[5] fut pour Félicité une preuve de tendresse ; la sienne en redoubla. Elle s'échappait la nuit, et, parvenue au rendez-vous, Théodore la torturait avec ses inquiétudes et ses instances[6].

Enfin, il annonça qu'il irait lui-même à la Préfecture prendre des informations, et les apporterait dimanche prochain entre onze heures et minuit.

---

1. Félicité est très pauvre ; Théodore est *« d'apparence cossue »* (p. 22) et ses parents ont assez d'argent pour lui offrir un remplaçant (voir plus bas).

2. Pour le remplacer au service militaire ; tous les jeunes gens entre 20 et 25 ans, inscrits sur une liste, sont enrôlés chaque année en fonction des besoins en commençant par les plus jeunes. Ils peuvent payer un remplaçant. Mais les hommes mariés étaient exemptés. Théodore aurait pu épouser Félicité pour éviter le service.

3. Être soldat ; puisque M. Aubain est mort en 1809, et que, comme on le verra plus loin, la petite Virginie n'a pas 4 ans, nous sommes au plus tard en 1813 ; les guerres napoléoniennes exigent de nombreux soldats (voir le célèbre livre d'Erckmann-Chatrian *Histoire d'un conscrit de 1813, Le livre de Poche, n° 4883).*

4. Mélange des temps caractéristique de Flaubert : l'imparfait « *l'effrayait* » correspond au fond sur lequel se détache l'action du récit au passé simple : *« Cette couardise fut... »* Flaubert aurait aussi bien pu écrire « Cette couardise était », ce qui aurait mis les deux personnages sur le même plan alors que le décalage ne les rend pas équivalents. S'il est arrivé que les deux personnages agissent dans une sorte d'égalité (*« Il l'embrassa encore une fois. Elle disparut dans l'ombre... »*), on voit plutôt *(« Elle hésitait à le croire. Il fit de grands serments »)* le passé simple mettre Théodore sur le devant de la scène, en train de chercher à duper Félicité, qui ne s'en rend pas compte. (Voir p. 33, note 1.)

5. Crainte un peu honteuse.

6. Demandes pressantes.

Le moment arrivé, elle courut vers l'amoureux.

A sa place, elle trouva un de ses amis.

Il lui apprit qu'elle ne devait plus le revoir. Pour se garantir de la conscription[1], Théodore avait épousé une vieille femme très riche, Mme Lehoussais, de Toucques.

Ce fut un chagrin désordonné. Elle se jeta par terre, poussa des cris, appela le bon Dieu[2], et gémit toute seule dans la campagne jusqu'au soleil levant. Puis elle revint à la ferme, déclara son intention d'en partir ; et, au bout du mois, ayant reçu ses comptes, elle enferma tout son petit bagage dans un mouchoir, et se rendit à Pont-l'Évêque.

Devant l'auberge, elle questionna une bourgeoise en capeline[3] de veuve, et qui précisément cherchait une cuisinière. La jeune fille ne savait pas grand-chose, mais paraissait avoir tant de bonne volonté et si peu d'exigences[4], que Mme Aubain finit par dire :

— « Soit, je vous accepte ! »

Félicité, un quart d'heure après, était installée chez elle.

D'abord elle y vécut dans une sorte de tremblement que lui causaient « le genre de la maison » et le souvenir de « Monsieur », planant sur tout ! Paul et Vir-

---

1. Inscription sur la liste de ceux qui sont pris pour le service (les conscrits).

2. Façon naïve et courante de désigner Dieu ; première liaison entre la religion et les affections de Félicité.

3. Chapeau féminin à large bord. A l'époque, l'habillement permet de situer immédiatement l'appartenance sociale : le port du chapeau signale une dame de condition bourgeoise. Le costume de deuil, en particulier celui des veuves, est très précisément fixé par les usages.

4. Financières, évidemment ; les conditions de travail ne se discutent guère.

ginie [1], l'un âgé de sept ans, l'autre de quatre à peine, lui semblaient formés d'une matière précieuse ; elle les portait sur son dos comme un cheval, et Mme Aubain lui défendit de les baiser à chaque minute, ce qui la mortifia [2]. Cependant elle se trouvait heureuse. La douceur du milieu avait fondu [3] sa tristesse.

Tous les jeudis, des habitués venaient faire une partie de boston [4]. Félicité préparait d'avance les cartes et les chaufferettes [5]. Ils arrivaient à huit heures bien juste, et se retiraient avant le coup de onze.

Chaque lundi [6] matin, le brocanteur qui logeait sous l'allée étalait par terre ses ferrailles. Puis la ville se remplissait d'un bourdonnement de voix, où se mêlaient des hennissements de chevaux, des bêlements d'agneaux, des grognements de cochons, avec le bruit sec des carrioles dans la rue. Vers midi, au plus fort du marché, on voyait paraître sur le seuil un vieux paysan de haute taille, la casquette en arrière, le nez crochu, et qui était Robelin, le fermier de Geffosses. Peu de temps après, — c'était Liébard, le fermier de Toucques, petit, rouge, obèse, portant une veste grise et des houseaux [7] armés d'éperons.

---

1. Les deux enfants portent les noms des personnages du célèbre roman de Bernardin de Saint-Pierre (*Paul et Virginie*, 1787).
2. Lui fit honte en l'offensant.
3. Nous dirions : « fait fondre ».
4. Jeu de cartes qui se jouait à quatre avec 52 cartes ; l'ancêtre du jeu de bridge.
5. Sorte de caissettes portatives qu'on remplissait de braises et sur lesquelles on posait les pieds pour les réchauffer.
6. C'est le marché hebdomadaire.
7. Pièces de toile ou de cuir remplaçant les bottes, comme les guêtres.

Une bourgeoise en capeline.

Photo Roger-Viollet

Tous deux offraient à leur propriétaire des poules ou des fromages. Félicité invariablement déjouait leurs astuces [1], et ils s'en allaient pleins de considération pour elle.

A des époques indéterminées [2], Mme Aubain recevait la visite du marquis de Gremanville, un de ses oncles, ruiné par la crapule [3] et qui vivait à Falaise sur le dernier lopin [4] de ses terres. Il se présentait toujours à l'heure du déjeuner, avec un affreux caniche dont les pattes salissaient tous les meubles. Malgré ses efforts pour paraître gentilhomme jusqu'à soulever son chapeau chaque fois qu'il disait : « Feu [5] mon père », l'habitude l'entraînant, il se versait à boire coup sur coup, et lâchait des gaillardises [6]. Félicité le poussait dehors poliment : « Vous en avez assez, Monsieur de Gremanville ! A une autre fois ! » Et elle refermait la porte.

Elle l'ouvrait avec plaisir devant M. Bourais, ancien avoué. Sa cravate blanche et sa calvitie, le jabot [7] de sa chemise, son ample redingote brune, sa

---

1. En proposant leurs marchandises, ils essaient de la rouler dans une discussion du genre de celle qui a été évoquée p. 18.

2. Il ne vient pas régulièrement comme ceux qui sont en affaires avec Mme Aubain.

3. Désigne non pas, comme aujourd'hui, une personne, mais un régime de vie fait de débauche et d'ivrognerie ; nous dirions : « vie crapuleuse ».

4. Petit morceau de terre, très insuffisant pour procurer de quoi vivre.

5. Façon de nommer les personnes décédées : « Feu mon père, feu ma tante... » Le terme signifie « qui fut, qui n'est plus ».

6. Des plaisanteries un peu lestes : trait de caractère ou comportement aristocratique ? On retrouve dans la famille de Flaubert un oncle portant ce nom qui correspond au personnage.

7. Flot de dentelle ornant le plastron de la chemise.

façon de priser[1] en arrondissant le bras, tout son individu lui produisait ce trouble où nous jette le spectacle des hommes extraordinaires.

Comme il gérait les propriétés de « Madame », il s'enfermait avec elle pendant des heures dans le cabinet de « Monsieur », et craignait toujours de se compromettre, respectait infiniment la magistrature, avait des prétentions[2] au latin.

Pour instruire les enfants d'une manière agréable, il leur fit cadeau d'une géographie en estampes[3]. Elles représentaient différentes scènes du monde, des anthropophages coiffés de plumes, un singe enlevant une demoiselle, des Bédouins dans le désert, une baleine qu'on harponnait, etc.

Paul donna l'explication de ces gravures à Félicité. Ce fut même toute son éducation littéraire[4].

Celle des enfants était faite par Guyot, un pauvre diable employé à la Mairie, fameux pour sa belle main[5], et qui repassait[6] son canif sur sa botte.

---

1. Façon ancienne et courante de consommer le tabac en l'aspirant directement dans le nez ; la prise était déposée dans le creux qui se forme entre le pouce et le poignet lorsqu'on arrondit l'avant-bras en tendant le pouce.

2. Le latin fait partie de la formation traditionnelle des hommes de loi. *« Avoir des prétentions au latin »* est plus ironique que ne le serait : « prétendait connaître le latin ».

3. Un livre de géographie orné de gravures.

4. C'est le seul texte connu de Félicité, qui, nous le verrons plus loin, ne sait pas lire.

5. Sa belle écriture, indispensable pour un employé probablement chargé de l'état civil et des papiers officiels.

6. Finissait d'aiguiser la lame en la passant sur le cuir. Le canif (qui n'est pas un couteau de paysan) lui sert probablement à tailler les plumes d'oie.

Quand le temps était[1] clair, on s'en allait de bonne heure à la ferme de Geffosses.

La cour est en pente, la maison dans le milieu ; et la mer, au loin, apparaît comme une tache grise.

Félicité retirait de son cabas[2] des tranches de viande froide, et on déjeunait dans un appartement faisant suite à la laiterie. Il était le seul reste d'une habitation de plaisance[3], maintenant disparue. Le papier de la muraille en lambeaux tremblait aux courants d'air. Mme Aubain penchait son front, accablée de souvenirs, les enfants n'osaient plus parler. « Mais jouez donc ! » disait-elle ; ils décampaient.

Paul montait dans la grange, attrapait des oiseaux, faisait des ricochets sur la mare, ou tapait avec un bâton les grosses futailles[4] qui résonnaient comme des tambours.

Virginie donnait à manger aux lapins, se précipitait

---

1. Une page entre autres dans laquelle le mélange des temps employés est très subtil. L'imparfait exprime l'action répétée qui sert de toile de fond *(« Quand le temps était clair... »)* et la monotonie de tous les pique-niques *(« Félicité retirait de son cabas... »)*. Avec le passé simple, un incident fait l'objet du récit *(« Un soir d'automne, on s'en retourna... »)* et on en parle pendant des années ! Le présent rend le paysage intemporel *(« La cour est en pente »)*.

Marcel Proust (« A propos du style de Flaubert », *N.R.F.*, janvier 1920) a particulièrement remarqué l'irruption, entre imparfait et passé simple, de ce présent qui *« opère un redressement, met un furtif éclairage de plein jour qui distinguent des choses qui passent une réalité plus durable »*.

2. Panier de paille, qu'on porte au bras.

3. Maison de campagne au sens moderne du terme, réservée aux plaisirs des maîtres et non à l'habitation des paysans. Le veuvage de Mme Aubain ne lui permet pas de la garder en bon état.

4. Tonneaux.

pour cueillir des bluets[1], et la rapidité de ses jambes découvrait ses petits pantalons[2] brodés.

Un soir d'automne, on s'en retourna par les herbages.

La lune à son premier quartier éclairait une partie du ciel, et un brouillard flottait comme une écharpe sur les sinuosités de la Toucques. Des bœufs, étendus au milieu du gazon, regardaient tranquillement ces quatre personnes passer. Dans la troisième pâture[3] quelques-uns se levèrent, puis se mirent en rond devant elles. — « Ne craignez rien ! » dit Félicité ; et, murmurant une sorte de complainte[4], elle flatta sur l'échine celui qui se trouvait le plus près ; il fit volte-face, les autres l'imitèrent. Mais, quand l'herbage suivant fut traversé, un beuglement formidable s'éleva. C'était un taureau, que cachait le brouillard. Il avança vers les deux femmes. Mme Aubain allait courir. — « Non ! non ! moins vite ! » Elles pressaient le pas cependant, et entendaient par-derrière un souffle sonore qui se rapprochait. Ses sabots, comme des marteaux, battaient l'herbe de la prairie ; voilà qu'il galopait maintenant ! Félicité se retourna, et elle arrachait à deux mains des plaques de terre qu'elle lui jetait dans les yeux. Il baissait le mufle, secouait les cornes et tremblait de fureur en beuglant horriblement. Mme Aubain, au bout de l'herbage avec ses

---

1. Bleuets, fleurs des champs aujourd'hui menacées par les herbicides, mais très courantes jadis.

2. Culottes longues à volants portées par les demoiselles sous leurs robes. Les laisser voir ne peut être que le fait d'une petite fille qui joue innocemment !

3. Pré où les bêtes peuvent être mises à paître.

4. Les cris et interjections pour faire obéir les animaux sont très précisément connus des paysans ; seul un observateur étranger peut estimer qu'il s'agit d'une *« complainte »*.

deux petits, cherchait éperdue comment franchir le haut bord[1]. Félicité reculait toujours devant le taureau, et continuellement lançait des mottes de gazon qui l'aveuglaient, tandis qu'elle criait : — « Dépêchez-vous ! dépêchez-vous ! »

Mme Aubain descendit le fossé, poussa Virginie, Paul ensuite, tomba plusieurs fois en tâchant de gravir le talus, et à force de courage y parvint.

Le taureau avait acculé Félicité contre une claire-voie[2] ; sa bave lui rejaillissait à la figure, une seconde de plus il l'éventrait. Elle eut le temps de se couler entre deux barreaux, et la grosse bête, toute surprise, s'arrêta.

Cet événement, pendant bien des années, fut un sujet de conversation à Pont-l'Évêque. Félicité n'en tira aucun orgueil, ne se doutant même pas qu'elle eût rien fait d'héroïque.

Virginie l'occupait exclusivement ; — car elle eut, à la suite de son effroi, une affection[3] nerveuse, et M. Poupart, le docteur[4], conseilla les bains de mer de Trouville[5].

Dans ce temps-là, ils n'étaient pas fréquentés. Mme Aubain prit des renseignements, consulta Bourais, fit des préparatifs comme pour un long voyage.

---

1. Caractéristique du paysage normand, le haut bord limite les prés : la haie, plantée sur le haut d'un talus, est précédée d'un fossé.
2. Barrière faite de grosses branches entrecroisées.
3. Maladie.
4. Comme on dit de façon courante. Mais les puristes disent : « le médecin » (« Docteur » est un titre universitaire, employé quand on s'adresse au médecin). Voir p. 62, note 2 et p. 88, note 1.
5. Trouville n'est encore que le petit port de pêche où Flaubert allait se baigner dans son enfance ; la pratique des bains de mer s'est répandue précisément vers 1830, d'abord uniquement à des fins thérapeutiques.

Ses colis partirent la veille, dans la charrette de Liébard. Le lendemain, il amena deux chevaux dont l'un avait une selle de femme, munie d'un dossier de velours ; et sur la croupe du second un manteau roulé formait une manière de siège. Mme Aubain y monta, derrière lui. Félicité se chargea de Virginie, et Paul enfourcha l'âne de M. Lechaptois, prêté sous la condition d'en avoir grand soin.

La route était si mauvaise que ses huit kilomètres exigèrent deux heures. Les chevaux enfonçaient jusqu'aux paturons[1] dans la boue, et faisaient pour en sortir de brusques mouvements des hanches ; ou bien ils butaient contre les ornières ; d'autres fois, il leur fallait sauter. La jument de Liébard, à de certains endroits, s'arrêtait tout à coup. Il attendait patiemment qu'elle se remît en marche ; et il parlait des personnes dont les propriétés bordaient la route, ajoutant à leur histoire des réflexions morales. Ainsi, au milieu de Toucques, comme on passait sous des fenêtres entourées de capucines, il dit, avec un haussement d'épaules : — « En voilà une Mme Lehoussais, qui au lieu de prendre un jeune homme[2]... » Félicité n'entendit pas le reste ; les chevaux trottaient, l'âne galopait ; tous enfilèrent un sentier, une barrière tourna, deux garçons[3] parurent, et l'on descendit devant le purin[4], sur le seuil même de la porte.

---

1. Partie anatomique du pied du cheval (ce que l'on appelle généralement « la patte »), située au-dessus du sabot.

2. Probablement comme époux, mais peut-être aussi comme amant. (Voir le début du chapitre.) Félicité ne saura jamais le fin mot de l'histoire de Théodore !

3. Deux domestiques de la ferme.

4. Liquide malodorant qui s'écoule du tas de fumier.

La mère[1] Liébard, en apercevant sa maîtresse[2], prodigua les démonstrations de joie. Elle lui servit un déjeuner où il y avait un aloyau[3], des tripes, du boudin, une fricassée de poulet, du cidre mousseux, une tarte aux compotes[4] et des prunes à l'eau-de-vie, accompagnant le tout de politesses à Madame qui paraissait en meilleure santé, à Mademoiselle devenue « magnifique », à M. Paul singulièrement « forci », sans oublier leurs grands-parents défunts que les Liébard avaient connus, étant au service de la famille depuis plusieurs générations. La ferme avait, comme eux, un caractère d'ancienneté. Les poutrelles[5] du plafond étaient vermoulues[6], les murailles noires de fumée, les carreaux gris de poussière. Un dressoir[7] en chêne supportait toutes sortes d'ustensiles, des brocs, des assiettes, des écuelles d'étain, des pièges à loup, des forces[8] pour les moutons ; une seringue[9] énorme fit rire les enfants. Pas un arbre des trois cours qui n'eût des champignons[10] à sa base, ou

1. On n'appelle ainsi qu'une femme du peuple d'un certain âge qui gouverne sa maisonnée, mère de famille ou maîtresse de maison.

2. Propriétaire de la ferme, et donc dans un rapport de maîtresse à domestique.

3. Rôti de bœuf.

4. Fruits cuits.

5. Petites poutres, suffisantes pour un plafond ; aujourd'hui on réserve le terme de poutrelles aux poutres métalliques, toujours plus fines que les poutres en bois d'autrefois.

6. Piquées de trous de vers, donc fragiles.

7. Étagère placée au-dessus d'un buffet, servant à ranger la vaisselle. Les plats sont posés verticalement derrière des barreaux.

8. Ciseaux pour couper la laine des moutons.

9. Sans doute pour les lavements (et non les piqûres) aux animaux.

10. Signe qu'ils sont en train de mourir.

dans ses rameaux une touffe de gui [1]. Le vent en avait jeté bas plusieurs. Ils avaient repris [2] par le milieu ; et tous fléchissaient sous la quantité de leurs pommes. Les toits de paille [3], pareils à du velours brun et inégaux d'épaisseur, résistaient aux plus fortes bourrasques. Cependant la charreterie [4] tombait en ruine. Mme Aubain dit qu'elle aviserait [5], et commanda de reharnacher les bêtes.

On fut encore une demi-heure avant d'atteindre Trouville. La petite caravane mit pied à terre pour passer les *Écores* [6] ; c'était une falaise surplombant des bateaux ; et trois minutes plus tard, au bout du quai, on entra dans la cour de l'*Agneau d'or* [7], chez la mère David.

Virginie, dès les premiers jours, se sentit moins faible, résultat du changement d'air et de l'action des bains. Elle les prenait en chemise, à défaut d'un costume [8] ; et sa bonne la rhabillait dans une cabane de douanier qui servait aux baigneurs.

L'après-midi, on s'en allait avec l'âne au-delà des

---

1. Autre parasite inquiétant pour la santé de l'arbre qui le porte.
2. Repoussé (on n'a pas pris la peine de couper le bois mort).
3. C'est le chaume qui couvre les « chaumières » dans la campagne normande.
4. Hangar où l'on abrite les chars.
5. Réfléchirait (pour savoir si elle ferait les réparations).
6. Falaise qui se trouvait à l'entrée de Trouville (une modification du cours de la rivière fait qu'elle est aujourd'hui située différemment).
7. C'est justement à l'hôtel de l'*Agneau d'or,* chez *la mère David*, que logeait la famille de Flaubert, pour les bains de mer.
8. On estimait qu'il serait très inconvenant d'être déshabillé pour se baigner et l'on portait un costume de laine, très ample, couvrant le corps à peu près des oreilles aux chevilles. Les maillots de bain proprement dits, avec manches et jambes courtes, datent du Second Empire.

[illegible]

Les toits de paille, pareils à des velours bruns et d'inégale épaisseur, résistaient aux plus fortes bourrasques. Cependant la charreterie tombait en ruines [illegible]

[illegible] M. Aubain dit qu'il

[illegible] de réatteler les bêtes.

aviserait et commanda de

On fut encore une demi-heure avant d'atteindre Trouville [illegible]

[illegible]

[illegible] la petite caravane mit pied à terre [illegible] [illegible] des bateaux [illegible]

le Écorz. C'était une falaise surplombant [illegible]

[illegible]

[illegible] et

[illegible] on entra dans la cour de l'Agneau

trois minutes plus tard, au bout du quai

d'or, chez la mère David.

Virginie, dès les premiers jours, se sentit moins faible, résultat du changement

d'air et de l'action des bains. Elle les prenait en chemise, à défaut d'un

costume, et sa bonne la rhabillait dans une cabane de douanier qui

servait aux baigneurs.

L'après-midi, on s'en allait avec l'âne, au-delà des roches noires, du côté

d'Hennequeville. Le sentier d'abord montait entre des terrains vallonnés

comme la pelouse d'un parc, puis arrivait sur un plateau où [illegible] du chemin [illegible]

alternaient des pâturages et des champs en labours. [illegible]

Dans le fouillis des ronces, des houx se dressaient; çà et là, un grand arbre mort faisait sur l'air bleu des zigzags avec ses branches.

Presque toujours on se reposait dans un pré, ayant Deauville à

gauche, le Havre à droite et en face la pleine mer. Elle était

brillante de soleil, lisse comme un miroir, [illegible] son murmure

tellement douce qu'on entendait à peine [illegible] et la voûte immense du ciel

le murmure [illegible] tout cela. M. Aubain [illegible] travaillait à [illegible] des jours

[illegible] Virginie [illegible] les fleurs de lavande. Paul qui s'ennuyait

voulait partir.

Page du manuscrit de *Un cœur simple*.

Photo Roger-Viollet

Roches-Noires, du côté d'Hennequeville [1]. Le sentier, d'abord, montait entre des terrains vallonnés comme la pelouse d'un parc, puis arrivait sur un plateau où alternaient des pâturages et des champs en labour. A la lisière du chemin, dans le fouillis des ronces, des houx se dressaient ; çà et là, un grand arbre mort faisait sur l'air bleu des zigzags avec ses branches.

Presque toujours on se reposait dans un pré, ayant Deauville à gauche, Le Havre à droite et en face la pleine mer. Elle était brillante de soleil, lisse comme un miroir, tellement douce qu'on entendait à peine son murmure ; des moineaux cachés pépiaient, et la voûte immense du ciel recouvrait tout cela. Mme Aubain, assise, travaillait à son ouvrage de couture ; Virginie près d'elle tressait des joncs ; Félicité sarclait [2] des fleurs de lavande ; Paul, qui s'ennuyait, voulait partir.

D'autres fois, ayant passé la Toucques en bateau, ils cherchaient des coquilles. La marée basse laissait à découvert des oursins, des godefiches [3], des méduses ; et les enfants couraient, pour saisir des flocons d'écume que le vent emportait. Les flots endormis, en tombant sur le sable, se déroulaient le long de la grève [4] ; elle s'étendait à perte de vue, mais du côté de la terre avait pour limite les dunes la séparant du *Marais,* large prairie en forme d'hippodrome. Quand ils revenaient par là, Trouville, au fond sur la pente

---

1. Hennequeville : à deux kilomètres à l'est de Trouville.
2. Grattant le sol pour arracher les herbes autour des plantes ; le terme suggère qu'elle travaille encore.
3. Nom local des coquilles Saint-Jacques.
4. Surface laissée par la mer qui se retire (voir « gravier ») ; l'usage moderne du mot « grève » vient du fait que c'est sur la « place de Grève », au bord de la Seine à Paris (actuelle place de l'Hôtel de Ville), que les ouvriers attendaient du travail.

du coteau, à chaque pas grandissait, et avec toutes ses maisons inégales semblait s'épanouir dans un désordre gai.

Les jours qu'il faisait trop chaud, ils ne sortaient pas de leur chambre. L'éblouissante clarté du dehors plaquait des barres de lumière entre les lames des jalousies [1]. Aucun bruit dans le village. En bas, sur le trottoir, personne. Ce silence épandu [2] augmentait la tranquillité des choses. Au loin, les marteaux des calfats [3] tamponnaient des carènes, et une brise lourde apportait la senteur du goudron.

Le principal divertissement était le retour des barques. Dès qu'elles avaient dépassé les balises [4], elles commençaient à louvoyer [5]. Leurs voiles descendaient aux deux tiers des mâts ; et, la misaine [6] gonflée comme un ballon, elles avançaient, glissaient dans le clapotement des vagues, jusqu'au milieu du port, où l'ancre tout à coup tombait. Ensuite le bateau se plaçait contre le quai. Les matelots jetaient par-dessus le bordage des poissons palpitants ; une file de charrettes les attendait, et des femmes en bonnet de coton s'élançaient pour prendre les corbeilles et embrasser leurs hommes [7].

Une d'elles, un jour, aborda Félicité, qui peu de

---

1. Stores de bois à travers lesquels on voit sans être vu.
2. Le terme est rare. On dirait plutôt « répandu ».
3. Ouvriers travaillant à garnir d'étoupe (calfater) les coques des bateaux (les carènes) pour les recouvrir ensuite du goudron qui imperméabilise.
4. Signaux flottants qui servent de repères pour sortir du port.
5. Se dit des bateaux qui avancent en zigzaguant si le vent ne leur permet pas d'aller droit.
6. Voile du petit mât situé à l'avant.
7. Expression populaire (comme d'ailleurs le geste, très inconvenant chez les bourgeois).

temps après entra dans la chambre, toute joyeuse. Elle avait retrouvé une sœur ; et Nastasie Barette, femme [1] Leroux, apparut, tenant un nourrisson à sa poitrine, de la main droite un autre enfant, et à sa gauche un petit mousse les poings sur les hanches et le béret sur l'oreille.

Au bout d'un quart d'heure, Mme Aubain la congédia.

On les rencontrait toujours aux abords de la cuisine, ou dans les promenades que l'on faisait. Le mari ne se montrait pas.

Félicité se prit d'affection pour eux. Elle leur acheta une couverture, des chemises, un fourneau ; évidemment ils l'exploitaient [2]. Cette faiblesse agaçait Mme Aubain, qui d'ailleurs n'aimait pas les familiarités du neveu, — car il tutoyait son fils ; — et, comme Virginie toussait et que la saison n'était plus bonne, elle revint à Pont-l'Évêque.

M. Bourais l'éclaira sur le choix d'un collège. Celui de Caen passait pour le meilleur. Paul y fut envoyé ; et fit bravement ses adieux, satisfait d'aller vivre dans une maison où il aurait des camarades.

Mme Aubain se résigna à l'éloignement de son fils, parce qu'il était indispensable. Virginie y songea de moins en moins. Félicité regrettait son tapage [3]. Mais une occupation vint la distraire ; à partir de Noël, elle mena tous les jours la petite fille au catéchisme.

---

1. Les femmes du peuple n'ont pas droit à l'appellation « Madame ».
2. Style indirect libre : les pensées de Mme Aubain.
3. Le rythme décroissant des trois phrases semble correspondre à l'importance des personnages.

III

QUAND elle avait fait à la porte [1] une génuflexion [2], elle s'avançait sous la haute nef [3] entre la double ligne des chaises, ouvrait le banc [4] de Mme Aubain, s'asseyait, et promenait ses yeux autour d'elle.

Les garçons à droite, les filles à gauche [5], emplissaient les stalles [6] du chœur ; le curé se tenait debout près du lutrin [7] ; sur un vitrail de l'abside [8], le Saint-

1. L'enseignement religieux est donné par le curé dans l'église.
2. Les fidèles plient un genou pour honorer Dieu chaque fois qu'ils passent dans l'allée centrale devant le maître autel.
3. La partie centrale de l'église, entre le portail et le chœur (le mot évoque la charpente qui ressemble à celle d'un vaisseau retourné).
4. Les familles de notables avaient à l'église un banc à leur nom.
5. Les convenances exigent que les deux sexes soient strictement séparés à l'église.
6. Sièges de bois fixes, généralement réservés au clergé, dans la partie centrale (le *chœur*), près de l'autel. Le curé installe comme il peut ses élèves.
7. Pupitre assez élevé, sur lequel est posé le livre des offices sous les yeux de celui qui chante.
8. Extrémité de l'église, en forme de demi-cercle, derrière l'autel principal.

Esprit [1] dominait la Vierge ; un autre la montrait à genoux devant l'Enfant-Jésus, et, derrière le tabernacle [2], un groupe en bois représentait saint Michel [3] terrassant le dragon.

Le prêtre fit d'abord un abrégé de l'Histoire sainte [4]. Elle croyait voir le paradis, le déluge, la tour de Babel, des villes en flammes, des peuples qui mouraient, des idoles renversées ; et elle garda de cet éblouissement le respect du Très-Haut [5] et la crainte de sa colère. Puis, elle pleura en écoutant la Passion [6].

---

1. L'une des trois personnes qui, selon la religion chrétienne, avec Dieu le Père et son Fils, composent « un seul Dieu en trois personnes » (voir *dogme* p. 48, note 1). Cet Esprit saint (en quelque sorte la volonté divine) est traditionnellement représenté par une colombe aux ailes ouvertes, image qui va progressivement conduire Félicité à confondre dans son affection le Saint-Esprit et le perroquet.

2. Petite armoire qui, sur l'autel, renferme les *hosties*, pains qui représentent le corps du Christ, le Fils de Dieu.

3. Un archange (reconnaissable à ses grandes ailes), vainqueur du dragon qui figure le démon. On reconnaît l'église Saint-Michel de Pont-l'Évêque.

4. Les épisodes les plus connus de l'histoire des Hébreux telle qu'elle est racontée dans la Bible : Adam et Ève, créés par Dieu, habitent le paradis terrestre avant d'en être chassés ; au déluge, Dieu noie toute la terre sauf les créatures que Noé a recueillies dans son arche ; la tour de Babel devait atteindre le ciel, mais Dieu s'oppose à ce projet insensé en donnant brusquement aux hommes des langues différentes ; Sodome et Gomorrhe, villes de tous les péchés, sont détruites par un feu divin ; les idoles sont les images de faux dieux que les Hébreux se sont laissés aller à adorer.

5. Nom que l'on donne à ce Dieu tout-puissant qui dans la Bible est un Dieu sévère.

6. Dans le Nouveau Testament (ou Évangile) sont racontés (une fois par chacun des quatre évangélistes) les épisodes de la vie du Christ : sa naissance dans une pauvre étable (« la crèche », mangeoire en bois) que Félicité, avec son expérience paysanne, voit pleine de fumier ; ses miracles (la guérison d'aveugles et la multiplication des pains qui lui permet de nourrir la foule qui le suit) ; ses paroles sacrées *(« laissez venir à moi les petits enfants »)*. Le dernier épisode est celui de son arrestation et de sa mort, sur la croix, le Ven-

Pourquoi l'avaient-ils crucifié, lui qui chérissait les enfants, nourrissait les foules, guérissait les aveugles, et avait voulu, par douceur, naître au milieu des pauvres, sur le fumier d'une étable ? Les semailles [1], les moissons, les pressoirs, toutes ces choses familières dont parle l'Évangile, se trouvaient dans sa vie ; le passage de Dieu les avait sanctifiées ; et elle aima plus tendrement les agneaux par amour de l'Agneau [2], les colombes à cause du Saint-Esprit.

Elle avait peine à imaginer sa personne ; car il n'était pas seulement oiseau, mais encore un feu, et d'autres fois un souffle [3]. C'est [4] peut-être sa lumière [5] qui voltige la nuit aux bords des marécages, son haleine qui pousse les nuées, sa voix qui rend les cloches harmonieuses ; et elle demeurait dans une adoration, jouissant de la fraîcheur des murs et de la tranquillité de l'église.

---

dredi saint (la *Passion* que les catholiques célèbrent avant le dimanche de Pâques qui commémore sa résurrection). Ces thèmes très célèbres, figurent dans toutes les images, sculptures, vitraux qui ornent les églises, et sont inlassablement rappelés aux fidèles.

1. Dans l'Évangile, le Christ, pour prêcher, emploie de nombreuses métaphores agricoles dans de courts récits (les paraboles).

2. Le Christ est couramment appelé « Agneau de Dieu » dans les prières.

3. L'Évangile raconte comment le Saint-Esprit est venu, sous forme de langues de feu, illuminer les Apôtres après la Résurrection et la montée au ciel du Christ, lors de l'épisode dit de la Pentecôte (en grec « cinquante » car c'est le cinquantième jour après Pâques). Le mot « esprit » vient du latin *spiritus* : « souffle », évoquant l'inspiration divine.

4. Passage au présent qui peut suggérer que les pensées de Félicité ont la simplicité éternelle des gens du peuple.

5. Allusion aux feux follets (émanations de gaz s'enflammant au-dessus des marécages) ; l'évocation de ces feux mystérieux appartient, au contraire, aux traditions païennes et populaires : Félicité mélange tout (ou retrouve, dans sa naïveté, les origines de la pensée religieuse).

Quant aux dogmes [1], elle n'y comprenait rien, ne tâcha même pas de comprendre. Le curé discourait [2], les enfants récitaient, elle finissait par s'endormir ; et se réveillait tout à coup, quand ils faisaient en s'en allant claquer leurs sabots sur les dalles.

Ce fut de cette manière, à force de l'entendre, qu'elle apprit le catéchisme, son éducation religieuse ayant été négligée dans sa jeunesse ; et dès lors elle imita toutes les pratiques de Virginie, jeûnait [3] comme elle, se confessait [4] avec elle. A la Fête-Dieu [5], elles firent ensemble un reposoir.

La première communion [6] la tourmentait d'avance. Elle s'agita pour les souliers, pour le chapelet, pour

---

1. Points de doctrine qu'il faut admettre sous peine d'être exclu de l'Église. Ainsi, qu'un seul Dieu existe en trois personnes constitue « le dogme de la Trinité » : c'est une vérité de foi indiscutable, si incompréhensible soit-elle.

2. Noter l'ironie du raccourci.

3. Privation volontaire de nourriture à certains jours fixés par l'Église chrétienne (comme dans bien d'autres religions).

4. Dans la confession, le catholique (ce n'est pas le cas de tous les chrétiens) avoue ses péchés à un prêtre qui a le pouvoir d'accorder le pardon de Dieu. La confession est, à l'époque, toujours individuelle mais Félicité se confesse aux mêmes dates que Virginie.

5. Fête dite aussi « du Saint-Sacrement » : le deuxième jeudi (voir p. 88, note 4, pour ce jour) qui suit la Pentecôte, on promenait en procession, dans les rues, l'hostie sacrée qui est, selon la foi Chrétienne, le corps du Christ. Cet emblème, placé dans un ostensoir, était exposé un moment à la vénération des fidèles sur des autels provisoires, les *reposoirs*, construits et décorés par les paroissiennes. La fin du conte décrit ce grand moment de la piété villageoise au XIXe siècle.

6. Les chrétiens reçoivent physiquement le corps du Fils de Dieu dans le rite dit de la communion (union avec Dieu) ; le prêtre leur donne à manger une rondelle de pain non levé (l'hostie) en souvenir du dernier repas (la Cène) du Christ qui, selon l'Évangile, a dit à ses apôtres : *« Ceci est mon corps, ceci est mon sang. »* Dans la France dévote du XIXe siècle, on discute très sérieusement de l'âge opportun pour communier la première fois (entre 10 et 13 ans). C'est une étape importante dans la vie d'un enfant.

le livre [1], pour les gants. Avec quel tremblement elle aida sa mère à l'habiller !

Pendant toute la messe, elle éprouva une angoisse. M. Bourais lui cachait un côté du chœur ; mais juste en face, le troupeau des vierges portant des couronnes blanches par-dessus leurs voiles abaissés formait comme un champ de neige ; et elle reconnaissait de loin la chère petite à son cou plus mignon et à son attitude recueillie. La cloche tinta [2]. Les têtes se courbèrent ; il y eut un silence. Aux éclats de l'orgue, les chantres et la foule entonnèrent l'*Agnus Dei* [3] ; puis le défilé des garçons commença ; et, après eux, les filles se levèrent. Pas à pas, et les mains jointes, elles allaient vers l'autel tout illuminé, s'agenouillaient sur la première marche, recevaient l'hostie successivement, et dans le même ordre revenaient à leurs prie-Dieu [4]. Quand ce fut le tour de Virginie, Félicité se pencha pour la voir ; et, avec l'imagination que donnent les vraies tendresses, il lui sembla qu'elle était elle-même cette enfant ; sa figure devenait la sienne, sa robe l'habillait, son cœur lui battait dans la poitrine ; au moment d'ouvrir la bouche [5], en fermant les paupières, elle manqua s'évanouir.

---

1. Le missel, recueil des messes de toute l'année qu'il était d'usage d'offrir ce jour-là au jeune fidèle ; le chapelet est un instrument courant de dévotion (voir p. 18, note 3) que les communiants tiennent à la main. Le costume, surtout celui des filles, émeut par sa ressemblance avec celui des mariés.

2. La cloche tinte lorsque le prêtre présente l'hostie consacrée aux fidèles qui inclinent respectueusement la tête.

3. Premier mot d'un chant sacré : « Agneau de Dieu... » Jusqu'au concile de Vatican II (ouvert en 1965), tous les chants d'Église sont en latin.

4. Sorte de chaise basse sur laquelle les fidèles s'agenouillent face à l'autel.

5. Selon le texte, c'est elle qui ouvre la bouche pour communier.

Le lendemain, de bonne heure, elle se présenta dans la sacristie [1], pour que M. le curé lui donnât la communion. Elle la reçut dévotement, mais n'y goûta pas les mêmes délices.

Mme Aubain voulait faire de sa fille une personne accomplie ; et, comme Guyot ne pouvait lui montrer ni l'anglais ni la musique, elle résolut de la mettre en pension chez les Ursulines [2] d'Honfleur [3].

L'enfant n'objecta rien. Félicité soupirait, trouvant Madame insensible. Puis elle songea que sa maîtresse, peut-être, avait raison. Ces choses dépassaient sa compétence.

Enfin, un jour, une vieille tapissière [4] s'arrêta devant la porte ; et il en descendit une religieuse qui venait chercher Mademoiselle. Félicité monta les bagages sur l'impériale, fit des recommandations au cocher, et plaça dans le coffre six pots de confiture et une douzaine de poires, avec un bouquet de violettes.

Virginie, au dernier moment, fut prise d'un grand sanglot ; elle embrassait sa mère qui la baisait au front en répétant : — « Allons ! du courage ! du courage ! » Le marchepied se releva, la voiture partit.

Alors Mme Aubain eut une défaillance ; et le soir tous ses amis, le ménage Lormeau, Mme Lechaptois,

---

1. Local généralement situé près de l'autel mais qui ne fait pas tout à fait partie de l'église. On y dépose les objets du culte et on y accomplit certains actes religieux en particulier en dehors des offices.

2. Ordre de religieuses qui se consacrent à l'éducation des jeunes filles de milieu aisé. La mère de Flaubert a précisément été éduquée dans un pensionnat religieux à Honfleur.

3. Honfleur est à 16,5 km au nord de Pont-l'Évêque.

4. Voiture légère qui, à l'origine, servait à transporter des meubles, dont des tapisseries. L'*impériale* est le toit de la voiture.

ces[1] demoiselles Rochefeuille, M. de Houppeville et Bourais se présentèrent pour la consoler.

La privation de sa fille lui fut d'abord très douloureuse. Mais trois fois la semaine elle en recevait une lettre, les autres jours lui écrivait, se promenait dans son jardin, lisait un peu, et de cette façon comblait le vide des heures.

Le matin, par habitude, Félicité entrait dans la chambre de Virginie, et regardait les murailles. Elle s'ennuyait de n'avoir plus à peigner ses cheveux, à lui lacer ses bottines, à la border dans son lit, — et de ne plus voir continuellement sa gentille figure, de ne plus la tenir par la main quand elles sortaient ensemble. Dans son désœuvrement, elle essaya de faire de la dentelle. Ses doigts trop lourds[2] cassaient les fils ; elle n'entendait à rien[3], avait perdu le sommeil, suivant son mot, était « minée ».

Pour « se dissiper[4] », elle demanda la permission de recevoir son neveu Victor.

Il arrivait le dimanche après la messe, les joues roses, la poitrine nue[5], et sentant l'odeur de la campagne qu'il avait traversée. Tout de suite, elle dressait son couvert. Ils déjeunaient l'un en face de l'autre ; et, mangeant elle-même le moins possible pour épargner la dépense, elle le bourrait tellement de

---

1. Flaubert introduit dans le texte la manière courante de parler de ces deux sœurs qu'on désigne sans doute avec une gentille ironie. Noter aussi le « M. » pour « monsieur », attribué à M. de Houppeville mais pas à Bourais.

2. Félicité sait faire beaucoup de choses, mais les fins travaux de broderie sont réservés aux doigts délicats des dames.

3. Ne s'entendait à rien, n'était bonne à rien.

4. Se distraire ; le terme produit un effet ironique.

5. Autrement dit, le col de chemise ouvert, ce qui fait très débraillé. Il ne mettra une cravate que pour aller à l'église.

nourriture qu'il finissait par s'endormir. Au premier coup des vêpres [1], elle le réveillait, brossait son pantalon, nouait sa cravate, et se rendait à l'église, appuyée sur son bras dans un orgueil maternel.

Ses parents le chargeaient toujours d'en [2] tirer quelque chose, soit un paquet de cassonade [3], du savon, de l'eau-de-vie, parfois même de l'argent. Il apportait ses nippes [4] à raccommoder ; et elle acceptait cette besogne, heureuse d'une occasion qui le forçait à revenir.

Au mois d'août, son père l'emmena au cabotage [5].

C'était l'époque des vacances. L'arrivée des enfants la consola. Mais Paul devenait capricieux, et Virginie n'avait plus l'âge d'être tutoyée, ce qui mettait une gêne, une barrière entre elles.

Victor alla successivement à Morlaix, à Dunkerque et à Brighton ; au retour de chaque voyage, il lui offrait un cadeau. La première fois, ce fut une boîte en coquilles ; la seconde, une tasse à café ; la troisième, un grand bonhomme en pain d'épice. Il embellissait, avait la taille bien prise, un peu de moustache, de bons yeux francs, et un petit chapeau de cuir, placé en arrière comme un pilote [6]. Il l'amusait en lui racontant des histoires mêlées de termes marins.

---

1. Sonnerie de cloches pour la cérémonie religieuse du dimanche après-midi.
2. De Félicité.
3. Sucre qui n'a été raffiné qu'une fois. Tous ces produits s'achètent et sont donc précieux dans l'économie villageoise.
4. Le mot n'avait pas, à l'origine, un sens aussi péjoratif qu'aujourd'hui, où il désigne des habits usés et défraîchis.
5. Navigation des barques de pêche qui s'éloignent peu de la côte.
6. Le marin qui a la charge de conduire le bateau pour entrer dans le port.

Un lundi, 14 juillet 1819 (elle n'oublia pas la date), Victor annonça qu'il était engagé au long cours [1], et, dans la nuit du surlendemain, par le paquebot de Honfleur, irait rejoindre sa goélette [2], qui devait démarrer du Havre prochainement. Il serait, peut-être, deux ans parti.

La perspective d'une telle absence désola Félicité ; et pour lui dire encore adieu, le mercredi soir, après le dîner de Madame, elle chaussa des galoches [3], et avala les quatre lieues [4] qui séparent Pont-l'Évêque de Honfleur.

Quand elle fut devant le Calvaire [5], au lieu de prendre à gauche, elle prit à droite, se perdit dans des chantiers [6], revint sur ses pas ; des gens qu'elle accosta l'engagèrent à se hâter. Elle fit le tour du bassin rempli de navires, se heurtait contre des amarres [7] ; puis le terrain s'abaissa, des lumières s'entrecroisèrent, et elle se crut folle, en apercevant des chevaux dans le ciel.

Au bord du quai, d'autres hennissaient, effrayés par la mer. Un palan [8] qui les enlevait les descendait dans un bateau, où des voyageurs se bousculaient entre les barriques de cidre, les paniers de fromage, les sacs de grain ; on entendait chanter des poules, le capitaine

---

1. Pour un voyage de longue durée ; ce n'est plus le cabotage.
2. Grand bateau à voiles.
3. Chaussures de cuir à semelle de bois.
4. Ancienne mesure de distance, environ 4 kilomètres.
5. Monument représentant la croix, dont tout lecteur peut comprendre grâce à l'article défini (*« le »* Calvaire) qu'il se trouve à l'entrée de Honfleur, et qu'il sert de repère (Félicité le retrouve en quittant Honfleur).
6. De construction de bateaux.
7. Cordages qui retiennent les navires au quai.
8. Système de cordes et de poulies.

jurait ; et un mousse restait accoudé sur le bossoir[1], indifférent à tout cela. Félicité, qui ne l'avait pas reconnu, criait : « Victor ! » Il leva la tête ; elle s'élançait, quand on retira l'échelle tout à coup.

Le paquebot, que des femmes halaient[2] en chantant, sortit du port. Sa membrure[3] craquait, les vagues pesantes fouettaient sa proue[4]. La voile avait tourné, on ne vit plus personne ; — et, sur la mer argentée par la lune, il faisait une tache noire qui pâlissait toujours, s'enfonça, disparut.

Félicité, en passant près du Calvaire, voulut recommander à Dieu ce qu'elle chérissait le plus ; et elle pria pendant longtemps, debout, la face baignée de pleurs, les yeux vers les nuages. La ville dormait, des douaniers se promenaient ; et de l'eau tombait sans discontinuer par les trous de l'écluse, avec un bruit de torrent. Deux heures sonnèrent.

Le parloir[5] n'ouvrirait pas avant le jour. Un retard[6], bien sûr, contrarierait Madame ; et, malgré son désir d'embrasser l'autre[7] enfant, elle s'en retourna. Les filles de l'auberge s'éveillaient, comme elle entrait dans Pont-l'Évêque.

Le pauvre gamin durant des mois allait donc rou-

---

1. Pièce de bois qui supporte l'ancre.
2. Tiraient avec des cordes le long d'un chemin dit de halage pour que le bateau, trop grand pour manœuvrer à la voile dans le port, gagne la haute mer.
3. L'ensemble des mâts et de la charpente du navire.
4. L'avant du navire
5. Le parloir : celui du couvent, comme on le comprend plus loin. Ici, nous suivons encore les pensées de Félicité dans un usage de l'imparfait constituant le célèbre style indirect libre caractéristique de Flaubert (Elle se disait que *« le parloir n'ouvrirait pas... »).*
6. Pour rentrer à Pont-l'Évêque.
7. Le premier était Victor (voir p 56).

ler[1] sur les flots ! Ses précédents voyages ne l'avaient pas effrayée. De l'Angleterre et de la Bretagne, on revenait ; mais l'Amérique, les Colonies, les Iles[2], cela était perdu dans une région incertaine, à l'autre bout du monde.

Dès lors, Félicité pensa exclusivement à son neveu. Les jours de soleil, elle se tourmentait de[3] la soif ; quand il faisait de l'orage, craignait pour lui la foudre. En écoutant le vent qui grondait dans la cheminée et emportait les ardoises, elle le voyait battu par cette même tempête, au sommet d'un mât fracassé, tout le corps en arrière, sous une nappe d'écume ; ou bien, — souvenirs de la géographie en estampes, — il était mangé par les sauvages, pris dans un bois par des singes, se mourait le long d'une plage déserte. Et jamais elle ne parlait de ses inquiétudes.

Mme Aubain en avait d'autres sur sa fille.

Les bonnes sœurs[4] trouvaient qu'elle était affectueuse, mais délicate. La moindre émotion l'énervait[5]. Il fallut abandonner le piano.

Sa mère exigeait du couvent une correspondance réglée[6]. Un matin que le facteur n'était pas venu, elle s'impatienta ; et elle marchait dans la salle, de son

---

1. C'est à la fois le geste du navire (le roulis) et l'errance des marins.

2. Les Antilles, désignées de façon très vague et générale par Félicité qui ne connaît que ce qu'elle a vu dans la « géographie en estampes ».

3. A propos de.

4. Façon courante et familière de désigner les religieuses.

5. Probablement au sens ancien : lui enlever toute force, en la privant de ses nerfs, de son ressort.

6. Régulière, mais aussi explicitement fixée.

fauteuil à la fenêtre. C'était[1] vraiment extraordinaire ! depuis quatre jours, pas de nouvelles !

Pour qu'elle se consolât par son exemple, Félicité lui dit :

— « Moi, Madame, voilà six mois que je n'en ai reçu !... »

— « De qui donc ?... »

La servante répliqua doucement :

— « Mais... de mon neveu ! »

— « Ah ! votre neveu ! » Et, haussant les épaules, Mme Aubain reprit sa promenade, ce qui voulait dire : « Je n'y pensais pas !... Au surplus, je m'en moque ! un mousse, un gueux, belle affaire !... tandis que ma fille... Songez donc !... »

Félicité, bien que nourrie[2] dans la rudesse, fut indignée contre Madame, puis oublia.

Il lui paraissait tout simple de perdre la tête à l'occasion de la petite.

Les deux enfants avaient une importance égale ; un lien[3] de son cœur les unissait, et leurs destinées devaient être la même.

Le pharmacien lui apprit que le bateau de Victor

---

1. Les paroles probables de Mme Aubain sont glissées directement dans le texte, alors que quelques lignes plus loin, par un effet inverse, ce sont les paroles qu'elle ne prononce pas qui sont présentées entre guillemets : c'est tout l'art de Flaubert de décaler le récit par rapport à la réalité qu'il est supposé représenter ; cf. Proust (article cité p. 33 note 1 : *« cet imparfait, si nouveau dans la littérature, change entièrement l'aspect des choses et des êtres, comme font une lampe qu'on a déplacée, l'arrivée dans une maison nouvelle...)* (voir p. 43 note 2).

2. « Nourri dans... » suivi d'un terme abstrait est un peu ancien et s'emploie classiquement dans un discours cérémonieux (« nourri dans les lettres ») ; la brutalité de la vie de Félicité est soulignée par cet emploi inattendu.

3. Un sentiment affectueux venu de son cœur aimant.

était arrivé à La Havane. Il avait lu ce renseignement dans une gazette [1].

A cause des cigares, elle imaginait La Havane un pays où l'on ne fait pas autre chose que de fumer [2], et Victor circulait parmi les nègres dans un nuage de tabac. Pouvait-on « en cas de besoin » s'en retourner par terre ? A quelle distance était-ce de Pont-l'Évêque ? Pour le savoir, elle interrogea M. Bourais.

Il atteignit son atlas, puis commença des explications sur les longitudes ; et il avait un beau sourire de cuistre [3] devant l'ahurissement de Félicité. Enfin, avec son porte-crayon [4], il indiqua dans les découpures d'une tache ovale [5] un point noir, imperceptible, en ajoutant : « Voici. » Elle se pencha sur la carte ; ce réseau de lignes coloriées fatiguait sa vue, sans lui [6] rien apprendre ; et Bourais l'invitant à dire ce qui l'embarrassait, elle le pria de lui montrer la maison où demeurait Victor. Bourais leva les bras, il éternua, rit énormément ; une candeur [7] pareille excitait sa joie ; et Félicité n'en comprenait pas le motif, — elle qui s'attendait peut-être à voir jusqu'au portrait de son neveu, tant son intelligence était bornée [8] !

1. Un journal.

2. On peut s'étonner que Félicité connaisse le nom des célèbres cigares venus de la lointaine capitale de Cuba, alors possession espagnole.

3. Personne qui étale son savoir de façon ridicule.

4. Sorte d'embout en métal servant de capuchon.

5. Cuba a une ligne très allongée et la mer des Caraïbes n'est que très vaguement ovale : peut-être Félicité n'a-t-elle vu que la moitié du planisphère qui représente l'Amérique.

6. Inversion des termes courante dans la langue classique ; aujourd'hui nous disons « sans rien lui apprendre ».

7. Naïveté.

8. Limitée.

Ce fut quinze jours après que Liébard, à l'heure du marché comme d'habitude, entra dans la cuisine, et lui remit une lettre qu'envoyait son beau-frère. Ne sachant lire aucun des deux[1], elle eut recours à sa maîtresse.

Mme Aubain, qui comptait les mailles d'un tricot, le posa près d'elle, décacheta la lettre, tressaillit, et, d'une voix basse, avec un regard profond :

— « C'est un malheur... qu'on vous annonce. Votre neveu... »

Il était mort. On n'en disait pas davantage.

Félicité tomba sur une chaise, en s'appuyant la tête à la cloison, et ferma ses paupières, qui devinrent roses tout à coup. Puis, le front baissé, les mains pendantes, l'œil fixe, elle répétait par intervalles :

— « Pauvre petit gars ! pauvre petit gars ! »

Liébard la considérait en exhalant des soupirs. Mme Aubain tremblait un peu.

Elle lui proposa d'aller voir sa sœur, à Trouville.

Félicité répondit, par un geste, qu'elle n'en avait pas besoin.

Il y eut un silence. Le bonhomme Liébard[2] jugea convenable de se retirer.

Alors elle dit :

— « Ça ne leur fait rien, à eux[3] ! »

---

1. Nous dirions « aucun des deux ne sachant lire » ou « ne sachant lire ni l'un ni l'autre ». L'alphabétisation est très inégale dans le peuple, surtout dans le nord de la France.

2. C'est un fermier ; Mme Aubain ne l'appellerait pas « Monsieur Liébard ».

3. Il est probable que Félicité parle de sa sœur et de sa famille, dont elle estime qu'ils n'aimaient pas assez Victor.

Sa tête retomba ; et machinalement elle soulevait [1], de temps à autre, les longues aiguilles sur la table à ouvrage.

Des femmes passèrent dans la cour avec un bard [2] d'où dégouttelait [3] du linge.

En les apercevant par les carreaux, elle se rappela sa lessive [4] ; l'ayant coulée [5] la veille, il fallait aujourd'hui la rincer ; et elle sortit de l'appartement.

Sa planche [6] et son tonneau étaient au bord de la Toucques. Elle jeta sur la berge un tas de chemises, retroussa ses manches, prit son battoir ; et les coups forts qu'elle donnait s'entendaient dans les autres jardins à côté. Les prairies étaient vides, le vent agitait la rivière ; au fond, de grandes herbes s'y penchaient,

---

1. Autre exemple des effets très variés du mélange de passé simple et d'imparfait : *« Sa tête retomba »*, c'est l'événement raconté. La suite pourrait être : « Elle se mit à soulever... », en restant dans le récit. Avec l'imparfait (qui en fait exprime la répétition) *« Elle soulevait... »*, on est à nouveau dans ce qui constitue le fond du récit, on a l'impression qu'elle est déjà repartie dans cette vie d'habitudes immuables, aussi obligatoires que la lessive (voir p. 33, note 1).

2. Sorte de brancard en bois sur lequel on posait le linge lavé sorti du cuvier (un chaudron qui est l'ancêtre des lessiveuses) pour aller le rincer à la rivière.

3. Dégouttelait : nous dirions « goutter », ou « dégoutter », mais nous parlons bien de « gouttelettes ».

4. La lessive ou grand lavage du linge est une tâche fatigante, accomplie souvent par des laveuses professionnelles.

5. La lessive elle-même est produite à la maison et on la verse sur le linge disposé dans un chaudron pour faire bouillir le tout. Le lendemain, quand l'ensemble est refroidi, on va rincer le linge au lavoir, s'il y en a un dans le village, ou à la rivière, comme le fait Félicité.

6. Les femmes frottent et battent le linge (cf. plus loin le *battoir*) sur une planche qui trempe dans l'eau de la rivière. Elles sont elles-mêmes agenouillées au bord de l'eau dans une espèce de coque en bois, souvent faite d'un demi-tonneau retaillé.

comme des chevelures[1] de cadavres flottant dans l'eau. Elle retenait sa douleur, jusqu'au soir fut très brave ; mais, dans sa chambre, elle s'y abandonna, à plat ventre sur son matelas, le visage dans l'oreiller, et les deux poings contre les tempes.

Beaucoup plus tard, par le capitaine de Victor lui-même, elle connut les circonstances de sa fin. On l'avait trop saigné[2] à l'hôpital, pour la fièvre jaune[3]. Quatre médecins le tenaient à la fois. Il était mort immédiatement, et le chef avait dit :

— « Bon ! encore un ! »

Ses[4] parents l'avaient toujours traité avec barbarie. Elle aima mieux ne pas les revoir ; et ils ne firent aucune avance, par oubli, ou endurcissement de misérables[5].

Virginie s'affaiblissait.

Des oppressions[6], de la toux, une fièvre continuelle et des marbrures aux pommettes déce-

---

1. L'assimilation des algues qui flottent au fond des rivières à de longues chevelures de femmes est traditionnelle et a donné lieu à bien des légendes. On la retrouve dans *Madame Bovary.*

2. La saignée, qui consiste à faire couler le sang supposé trop abondant, trop épais, est, avec la purge, un des remèdes traditionnels de la médecine française (il semble qu'elle ait été moins pratiquée ailleurs). L'idée vient des médecins grecs antiques : il faut purger le corps des « humeurs » qui l'encombrent. Au XIXe siècle, la mode n'en était plus aussi répandue qu'à l'époque de Molière : le médecin des îles est assez expéditif !

3. Redoutable maladie virale, très fréquente dans les pays tropicaux, caractérisée par la coloration de la peau en jaune et des vomissements de sang (ce qui explique peut-être les saignées).

4. Les parents de Victor. La phrase, au style indirect libre, évoque les pensées de Félicité.

5. À plaindre, au sens étymologique du terme ; mais aussi coupables de leur malheur (c'est le sens de l'injure : « misérable »).

6. Difficultés respiratoires. Virginie souffre d'une de ces maladies pulmonaires très fréquentes au XIXe siècle : on parle de phtisie,

laient quelque affection profonde. M. Poupart avait conseillé un séjour en Provence. Mme Aubain s'y décida[1], et eût tout de suite repris sa fille à la maison, sans le climat de Pont-l'Évêque.

Elle fit un arrangement avec un loueur de voitures, qui la menait au couvent chaque mardi. Il y a dans le jardin une terrasse d'où l'on découvre la Seine. Virginie s'y promenait à son bras, sur les feuilles de pampre tombées. Quelquefois le soleil traversant les nuages la forçait à cligner ses paupières, pendant qu'elle regardait les voiles au loin et tout l'horizon, depuis le château de Tancarville jusqu'aux phares du Havre. Ensuite on se reposait sous la tonnelle. Sa mère s'était procuré un petit fût d'excellent vin de Malaga[2] ; et, riant à l'idée d'être grise[3], elle en buvait deux doigts, pas davantage.

Ses forces reparurent. L'automne s'écoula doucement. Félicité rassurait Mme Aubain. Mais, un soir qu'elle avait été aux environs faire une course, elle rencontra devant la porte le cabriolet de M. Poupart ; et il était dans le vestibule. Mme Aubain nouait son chapeau.

— « Donnez-moi ma chaufferette, ma bourse, mes gants ; plus vite donc ! »

---

de consomption ou, comme plus bas, de « *fluxion de poitrine* ». Il n'est pas sûr qu'il s'agisse de la tuberculose, bien décrite par Laennec en 1802 mais qui n'est sûrement identifiée par Koch (cf. le bacille de Koch) qu'en 1882.

1. Elle a pris la décision mais ne l'exécute pas ; les brouillons du texte suggéraient qu'elle craignait le dérangement.

2. Le vin doux passe pour supportable pour les dames et reconstituant.

3. Légèrement ivre.

Virginie avait une fluxion de poitrine[1] ; c'était peut-être désespéré.

— « Pas encore ! » dit le médecin[2] ; et tous deux montèrent dans la voiture, sous des flocons de neige qui tourbillonnaient. La nuit allait venir. Il faisait très froid.

Félicité se précipita dans l'église, pour allumer un cierge[3]. Puis elle courut après le cabriolet, qu'elle rejoignit une heure plus tard, sauta légèrement par-derrière, où elle se tenait aux torsades[4], quand une réflexion lui vint : « La cour n'était pas fermée ! si des voleurs s'introduisaient ? » Et elle descendit.

Le lendemain, dès l'aube, elle se présenta chez le docteur. Il était rentré, et reparti à la campagne. Puis elle resta dans l'auberge, croyant que des inconnus apporteraient une lettre. Enfin, au petit jour, elle prit la diligence de Lisieux[5].

Le couvent se trouvait au fond d'une ruelle escarpée. Vers le milieu, elle entendit des sons étranges, un glas[6] de mort. « C'est pour d'autres », pensa-t-elle ; et Félicité tira violemment le marteau[7].

---

1. Nom ancien de la pneumonie ou de la congestion pulmonaire.
2. Voir p. 35, note 4. Opposer cette expression correcte (attribuable à Mme Aubain ?) au *« docteur »* employé plus bas par Félicité.
3. Rite de piété populaire pour demander à Dieu une grâce.
4. Sortes de cordes placées à l'arrière de la voiture et auxquelles Félicité s'accroche. On admirera qu'elle rattrape la voiture à la course, puis qu'elle renonce à ce voyage pour aller fermer la maison dont elle a la charge !
5. Venue de Lisieux et qui va à Honfleur. Les gens disent sans doute « la diligence de Lisieux ».
6. Sonnerie de cloches lente et régulière, qui signale, à toute la communauté du village, du quartier, que quelqu'un est mort, ou même en train de mourir.
7. Pièce de métal qui sert à frapper aux portes.

Au bout de plusieurs minutes, des savates se traînèrent, la porte s'entrebâilla, et une religieuse parut.

La bonne sœur[1] avec un air de componction[2] dit qu'« elle venait de passer[3] ». En même temps, le glas de Saint-Léonard[4] redoublait.

Félicité parvint au second étage.

Dès le seuil de la chambre, elle aperçut Virginie étalée sur le dos, les mains jointes, la bouche ouverte, et la tête en arrière sous une croix noire s'inclinant vers elle, entre les rideaux immobiles, moins pâles que sa figure. Mme Aubain, au pied de la couche qu'elle tenait dans ses bras, poussait des hoquets d'agonie. La supérieure était debout, à droite. Trois chandeliers sur la commode faisaient des taches rouges, et le brouillard blanchissait les fenêtres. Des religieuses emportèrent Mme Aubain.

Pendant deux nuits[5], Félicité ne quitta pas la morte. Elle répétait les mêmes prières, jetait de l'eau bénite sur les draps, revenait s'asseoir, et la contemplait. A la fin de la première veille, elle remarqua que la figure avait jauni, les lèvres bleuirent, le nez se pinçait, les yeux s'enfonçaient. Elle les baisa plusieurs fois ; et n'eût pas éprouvé un immense étonnement si Virginie les eût rouverts ; pour de pareilles âmes le surnaturel est tout simple[6]. Elle fit sa toilette,

---

1. Voir p. 55, note 4.
2. Gravité un peu doucereuse et affectée ; terme souvent employé à propos des ecclésiastiques. L'image des bonnes sœurs n'est pas très flatteuse.
3. « Mourir » dans le langage courant, un peu populaire (voir « trépasser »).
4. Église de Honfleur.
5. Flaubert se souvient sans doute des deux nuits durant lesquelles il avait veillé le corps de sa sœur, en 1846.
6. Un des rares jugements explicites portés par l'auteur sur son personnage.

l'enveloppa de son linceul, la descendit dans sa bière, lui posa une couronne, étala ses cheveux. Ils étaient blonds, et extraordinaires de longueur à son âge. Félicité en coupa une grosse mèche, dont elle glissa la moitié dans sa poitrine, résolue à ne jamais s'en dessaisir.

Le corps fut ramené à Pont-l'Évêque, suivant les intentions de Mme Aubain, qui suivait le corbillard, dans une voiture fermée.

Après la messe, il fallut encore trois quarts d'heure pour atteindre le cimetière. Paul[1] marchait en tête et sanglotait. M. Bourais était derrière, ensuite les principaux habitants, les femmes, couvertes de mantes noires, et Félicité. Elle songeait à son neveu, et, n'ayant pu lui rendre ces honneurs, avait un surcroît de tristesse, comme si on l'eût enterré avec l'autre.

Le désespoir de Mme Aubain fut illimité[2].

D'abord elle se révolta contre Dieu, le trouvant injuste de lui avoir pris sa fille — elle qui n'avait jamais fait de mal, et dont la conscience était si pure ! Mais non ! elle aurait dû l'emporter dans le Midi. D'autres docteurs l'auraient sauvée ! Elle s'accusait, voulait la rejoindre, criait en détresse au milieu de ses rêves. Un, surtout, l'obsédait. Son mari, costumé comme un matelot[3], revenait d'un long voyage, et lui

---

1. Hommes et femmes sont séparés dans le cortège funèbre comme dans toutes les cérémonies religieuses. Paul, le seul homme de la famille, « conduit le deuil ». On voit que Félicité, tout en fin de cortège, n'est pas considérée comme liée à la famille. D'ailleurs elle songe que c'est à son neveu qu'elle aurait dû pouvoir rendre de tels « honneurs » funèbres.

2. Nous voyons en contrepoint que celui de Félicité ne trouve pas à s'exprimer.

3. Ce personnage n'évoque-t-il pas, en fait, le neveu de Félicité, nous suggérant qu'inconsciemment Mme Aubain voit bien le rapport entre *« les deux enfants »* ?

disait en pleurant qu'il avait reçu l'ordre d'emmener Virginie. Alors ils se concertaient pour découvrir une cachette quelque part.

Une fois, elle rentra du jardin, bouleversée. Tout à l'heure (elle montrait l'endroit) le père et la fille lui étaient apparus l'un auprès de l'autre, et ils ne faisaient rien ; ils la regardaient.

Pendant plusieurs mois, elle resta dans sa chambre, inerte. Félicité la sermonnait doucement ; il fallait se conserver pour son fils, et pour l'autre, en souvenir « d'elle ».

— « Elle ? » reprenait Mme Aubain, comme se réveillant. « Ah ! oui !... oui !... Vous ne l'oubliez pas ! » Allusion au cimetière, qu'on lui avait scrupuleusement défendu.

Félicité tous les jours s'y rendait.

A quatre heures précises, elle passait au bord des maisons, montait la côte, ouvrait la barrière, et arrivait devant la tombe de Virginie. C'était une petite colonne de marbre rose, avec une dalle dans le bas, et des chaînes autour enfermant un jardinet. Les plates-bandes disparaissaient sous une couverture de fleurs. Elle arrosait leurs feuilles, renouvelait le sable, se mettait à genoux pour mieux labourer la terre. Mme Aubain, quand elle put y venir, en éprouva un soulagement, une espèce de consolation.

Puis des années s'écoulèrent, toutes pareilles et sans autres épisodes que le retour des grandes fêtes [1] : Pâques, l'Assomption, la Toussaint. Des événements intérieurs faisaient une date, où l'on se reportait plus

---

1. Fêtes traditionnelles du calendrier chrétien. Pâques célèbre la résurrection du Christ, l'Assomption (le 15 août) la montée au ciel de la Vierge ; la Toussaint, fête de tous les saints, est aussi celle des morts. Toutes sont à rattacher au thème de la mort.

tard. Ainsi, en 1825, deux vitriers badigeonnèrent le vestibule ; en 1827, une portion du toit, tombant dans la cour, faillit tuer un homme. L'été de 1828, ce fut à Madame d'offrir le pain bénit[1] ; Bourais, vers cette époque, s'absenta mystérieusement ; et les anciennes connaissances peu à peu s'en allèrent : Guyot, Liébard, Mme Lechaptois, Robelin, l'oncle Gremanville[2], paralysé depuis longtemps.

Une nuit, le conducteur de la malle-poste[3] annonça dans Pont-l'Évêque la Révolution de Juillet[4]. Un sous-préfet nouveau, peu de jours après, fut nommé : le baron de Larsonnière, ex-consul en Amérique, et qui avait chez lui, outre sa femme, sa belle-sœur avec trois demoiselles, assez grandes déjà. On les apercevait sur leur gazon, habillées de blouses flottantes ; elles possédaient un nègre[5] et un perroquet. Mme Aubain eut leur visite, et ne manqua pas de la rendre. Du plus loin qu'elles paraissaient, Félicité accourait pour la prévenir. Mais une chose était seule capable de l'émouvoir, les lettres de son fils.

Il ne pouvait suivre aucune carrière, étant absorbé

---

1. Dans certaines campagnes, à la fin de la messe, les femmes du village, chacune à son tour, offrent aux assistants des pains qui ont été bénits.

2. Personnages rencontrés au chapitre II. Gremanville : sans la particule, qui ne s'emploie qu'après « Monsieur » ou le prénom.

3. Service régulier de diligence qui assure le transport du courrier et des paquets.

4. En trois journées, les 27, 28 et 29 juillet 1830 (« les Trois Glorieuses »), les Parisiens renversent Charles X ; commence le règne de Louis-Philippe, dit monarchie de Juillet.

5. Le parallèle est suggestif ; le statut de ce nègre ne justifie pas vraiment le terme « *possédaient* » puisque l'esclavage n'a jamais été admis, même sous l'Ancien Régime, sur le territoire français ; mais rappelons qu'en 1830, il est encore en vigueur aussi bien dans les colonies françaises (il n'y sera aboli qu'en 1848) qu'aux États-Unis.

dans les estaminets [1]. Elle lui payait ses dettes ; il en refaisait d'autres ; et les soupirs que poussait Mme Aubain, en tricotant près de la fenêtre, arrivaient à Félicité, qui tournait son rouet [2] dans la cuisine.

Elles se promenaient ensemble le long de l'espalier [3] ; et causaient toujours de Virginie, se demandant si telle chose lui aurait plu, en telle occasion ce qu'elle eût dit probablement.

Toutes ces petites affaires occupaient un placard dans la chambre à deux lits. Mme Aubain les inspectait le moins souvent possible. Un jour d'été, elle se résigna ; et des papillons [4] s'envolèrent de l'armoire.

Ses robes étaient en ligne sous une planche où il y avait trois poupées, des cerceaux, un ménage [5], la cuvette [6] qui lui servait. Elles retirèrent également les jupons, les bas, les mouchoirs, et les étendirent sur les deux couches [7], avant de les replier. Le soleil éclairait ces pauvres objets, en faisait voir les taches, et des plis formés par les mouvements du corps. L'air était chaud et bleu, un merle gazouillait, tout semblait vivre dans une douceur profonde. Elles retrouvèrent

---

1. Le mot, d'origine wallonne, désignant à l'origine un café où l'on pouvait fumer, en vient à suggérer que l'endroit est misérable et mal famé.

2. Instrument qui sert à filer la laine ; une des activités de Félicité, qui nous avait échappé.

3. Rangée d'arbres fruitiers taillés de façon à constituer une sorte de mur vertical.

4. Probablement des mites.

5. Jouet fait de petits objets représentant les affaires d'une maison.

6. Pour se laver ; il n'y a pas de lavabo, mais dans la plupart des chambres un broc et une cuvette.

7. Les deux petits lits d'enfants.

un petit chapeau de peluche[1], à longs poils, couleur marron ; mais il était tout mangé de vermine[2]. Félicité le réclama pour elle-même. Leurs yeux se fixèrent l'une sur l'autre, s'emplirent de larmes ; enfin la maîtresse ouvrit ses bras, la servante s'y jeta ; et elles s'étreignirent, satisfaisant leur douleur dans un baiser qui les égalisait.

C'était la première fois de leur vie, Mme Aubain n'étant pas d'une nature expansive. Félicité lui en fut reconnaissante comme d'un bienfait, et désormais la chérit avec un dévouement bestial et une vénération religieuse.

La bonté de son cœur se développa.

Quand elle entendait dans la rue les tambours d'un régiment en marche, elle se mettait devant la porte avec une cruche de cidre, et offrait à boire aux soldats. Elle soigna des cholériques[3]. Elle protégeait les Polonais[4], et même il y en eut un qui déclarait la vouloir épouser. Mais ils se fâchèrent ; car un matin, en rentrant de l'angélus[5], elle le trouva dans sa cuisine, où il s'était introduit, et accommodé une vinaigrette[6] qu'il mangeait tranquillement.

Après les Polonais, ce fut le père Colmiche, un vieillard passant pour avoir fait des horreurs en 93[7].

---

1. Étoffe poilue (qui sert actuellement pour faire des animaux « en peluche »).
2. Les mites et autres insectes qui rongent les affaires.
3. Malades atteints de choléra, maladie mortelle très contagieuse ; la France a connu une épidémie de choléra en 1832.
4. Après une insurrection contre les Russes en 1830, de nombreux Polonais s'étaient réfugiés en France.
5. Cette prière en l'honneur de la Vierge, « qui a conçu du Saint-Esprit », est désignée par le premier mot du texte latin. Félicité va maintenant la dire à l'église : sa piété augmente.
6. Un plat assaisonné de vinaigrette.
7. 1793 fut en France l'année de la Terreur.

Il vivait au bord de la rivière, dans les décombres d'une porcherie. Les gamins le regardaient par les fentes du mur, et lui jetaient des cailloux qui tombaient sur son grabat [1], où il gisait, continuellement secoué par un catarrhe [2], avec des cheveux très longs, les paupières enflammées, et au bras une tumeur plus grosse que sa tête. Elle lui procura du linge, tâcha de nettoyer son bouge [3], rêvait à l'établir dans le fournil [4], sans qu'il gênât Madame. Quand le cancer [5] eut crevé, elle le pansa tous les jours, quelquefois lui apportait de la galette, le plaçait au soleil sur une botte de paille ; et le pauvre vieux, en bavant et en tremblant, la remerciait de sa voix éteinte, craignait de la perdre, allongeait les mains dès qu'il la voyait s'éloigner. Il mourut ; elle fit dire une messe pour le repos de son âme.

Ce jour-là, il lui advint un grand bonheur [6] : au moment du dîner, le nègre de Mme de Larsonnière se présenta, tenant le perroquet dans sa cage, avec le bâton [7], la chaîne et le cadenas. Un billet de la baronne annonçait à Mme Aubain que, son mari étant élevé [8] à une préfecture, ils partaient le soir ; et elle

---

1. Couche misérable.
2. Sorte de gros rhume ou de bronchite. Le terme veut dire qu'on a le nez et la gorge qui coulent.
3. Logement obscur et sale.
4. Local qui comporte le four à pain, probablement inutilisé chez Mme Aubain.
5. Tumeur au sens large, pas obligatoirement cancéreuse.
6. On voit comment, dans le texte, une affection en remplace une autre, aussitôt enlevée par la mort, en une chaîne qui conduira au perroquet empaillé.
7. Les perroquets d'appartement peuvent être sortis de leur cage et attachés sur un perchoir. Flaubert s'est renseigné très précisément sur les mœurs de ces oiseaux.
8. L'emploi du terme n'est pas dénué d'ironie, évoquant un grand honneur.

la priait d'accepter cet oiseau, comme un souvenir, et en témoignage de ses respects.

Il occupait depuis longtemps l'imagination de Félicité, car il venait d'Amérique ; et ce mot lui rappelait Victor, si bien qu'elle s'en informait auprès du nègre. Une fois même elle avait dit : — « C'est Madame qui serait heureuse de l'avoir ! »

Le nègre avait redit le propos à sa maîtresse, qui, ne pouvant l'emmener, s'en débarrassait de cette façon.

IV

Il s'appelait Loulou. Son corps [1] était vert, le bout de ses ailes roses, son front bleu, et sa gorge dorée.

Mais [2] il avait la fatigante manie de mordre son bâton, s'arrachait les plumes, éparpillait ses ordures, répandait l'eau de sa baignoire ; Mme Aubain, qu'il ennuyait, le donna pour toujours à Félicité.

Elle entreprit de l'instruire ; bientôt il répéta : « Charmant garçon ! Serviteur, monsieur ! Je vous salue, Marie ! » Il était placé auprès de la porte, et plusieurs s'étonnaient qu'il ne répondît pas au nom de Jacquot, puisque tous les perroquets s'appellent Jacquot [3]. On le comparait à une dinde, à une bûche [4] : autant de coups de poignard pour Félicité ! Étrange obstination de Loulou, ne parlant plus du moment qu'on le regardait !

---

1. Loulou est un perroquet amazone, ressemblant à celui que Flaubert avait emprunté au Muséum de Rouen (voir Présentation).
2. Le *« mais »* suggère une opposition : Loulou était très beau mais...
3. Flaubert est toujours à l'affût des idées reçues (il a composé un *Dictionnaire des idées reçues*).
4. Un imbécile borné, sans doute parce qu'il refuse de répondre.

Néanmoins il recherchait la compagnie ; car le dimanche, pendant que *ces*[1] demoiselles Rochefeuille, monsieur de Houppeville et de nouveaux habitués : Onfroy l'apothicaire[2], monsieur Varin et le capitaine Mathieu, faisaient leur partie de cartes, il cognait les vitres avec ses ailes, et se démenait si furieusement qu'il était impossible de s'entendre.

La figure de Bourais, sans doute, lui paraissait très drôle. Dès qu'il l'apercevait, il commençait à rire, à rire de toutes ses forces. Les éclats de sa voix bondissaient dans la cour, l'écho les répétait, les voisins se mettaient à leurs fenêtres, riaient aussi ; et, pour n'être pas vu du perroquet, M. Bourais se coulait le long du mur, en dissimulant son profil avec son chapeau, atteignait la rivière, puis entrait par la porte du jardin ; et les regards qu'il envoyait à l'oiseau manquaient de tendresse.

Loulou avait reçu du garçon boucher une chiquenaude[3], s'étant permis d'enfoncer la tête dans sa corbeille[4], et depuis lors il tâchait toujours de le pincer à travers sa chemise. Fabu menaçait de lui tordre le cou, bien qu'il ne fût pas cruel, malgré le tatouage de ses bras et ses gros favoris[5]. Au contraire ! il avait plutôt du penchant pour le perroquet, jusqu'à vouloir,

---

1. Voir p. 51, note 1.
2. Terme vieilli pour pharmacien.
3. Léger coup porté avec le majeur qu'on fait claquer sur le pouce.
4. Dans laquelle se trouve la viande à livrer. Les perroquets passent pour des animaux rancuniers, dotés d'une bonne mémoire.
5. Partie de la barbe qu'on laisse pousser le long des joues. Elle devait donner un air brutal au garçon boucher selon Félicité ; le tatouage signale peut-être un ancien marin.

9 Septembre 1919

Perroquet "Amazone"
ayant servi à Flaubert
pour écrire le Conte
"Un Cœur Simple"

« Mardi, j'ai eu à déjeuner Pouchet
» et Pennetier. Il y a huit jours,
» j'avais été au Muséum lui
» demander des renseignements
» sur les perroquets, et actuelle-
» ment j'écris devant un "Ama-
» zone" qui se tient sur ma
» table, le bec un peu de coté
» et me regardant avec ses
» yeux de verre.

Correspondace de Flaubert
Lettre à sa Nièce Juillet 1876
Edit Conard T. V. p 410

quet figure dans les Collections du Muséum
(Photo par LeRoy)

Le perroquet amazone.

Photo Roger-Viollet

par humeur joviale[1], lui apprendre des jurons. Félicité, que ces manières effrayaient, le plaça dans la cuisine. Sa chaînette fut retirée, et il circulait par la maison.

Quand il descendait l'escalier, il appuyait sur les marches la courbe de son bec, levait la patte droite, puis la gauche ; et elle avait peur qu'une telle gymnastique ne lui causât des étourdissements[2]. Il devint malade, ne pouvant plus parler ni manger. C'était sous sa langue une épaisseur[3], comme en ont les poules quelquefois. Elle le guérit, en arrachant cette pellicule avec ses ongles. M. Paul, un jour, eut l'imprudence[4] de lui souffler aux narines la fumée d'un cigare ; une autre fois que Mme Lormeau l'agaçait du bout de son ombrelle, il en happa la virole[5] ; enfin, il se perdit[6].

Elle l'avait posé sur l'herbe pour le rafraîchir, s'absenta une minute ; et, quand elle revint, plus de perroquet ! D'abord elle le chercha dans les buissons, au bord de l'eau et sur les toits, sans écouter sa maîtresse qui lui criait : — « Prenez donc garde ! vous êtes folle ! » Ensuite elle inspecta tous les jardins de Pont-l'Évêque ; et elle arrêtait les passants : — « Vous

---

1. Gaie, qui aime plaisanter. Comme à propos de Victor (voir p. 43 ou 51), on retrouve le contraste entre les façons populaires décontractées, et les bonnes manières un peu pincées d'une maison bourgeoise.

2. Le perroquet descend la tête en bas !

3. C'est la pépie, une maladie fréquente des volatiles ; Félicité, qui a été fille de basse-cour, sait retirer de sous la langue la membrane qui empêche Loulou de manger.

4. On entend le ton indigné de Félicité !

5. Pièce de métal ronde enfilée au bout de la tige, ou qui limite le manche des couteaux.

6. Le passage à la ligne après *« il se perdit »* tend à dramatiser l'événement : commence le récit d'une grande affaire !

n'auriez pas vu, quelquefois, par hasard, mon perroquet ? » A ceux qui ne connaissaient pas le perroquet, elle en faisait la description. Tout à coup, elle crut distinguer derrière les moulins, au bas de la côte, une chose verte qui voltigeait. Mais au haut de la côte, rien ! Un porte-balle [1] lui affirma qu'il l'avait rencontré tout à l'heure, à Melaine, dans la boutique de la mère Simon. Elle y courut. On ne savait pas ce qu'elle voulait dire. Enfin elle rentra, épuisée, les savates en lambeaux, la mort dans l'âme [2] ; et, assise au milieu du banc, près de Madame [3], elle racontait toutes ses démarches, quand un poids léger lui tomba sur l'épaule, Loulou ! Que diable avait-il fait ? Peut-être qu'il [4] s'était promené aux environs !

Elle eut du mal à s'en remettre, ou plutôt ne s'en remit jamais.

Par suite d'un refroidissement, il lui vint une angine ; peu de temps après, un mal d'oreilles. Trois ans plus tard, elle était sourde ; et elle parlait très haut, même à l'église. Bien que ses péchés auraient [5] pu sans déshonneur pour elle, ni inconvénient pour le

---

1. Un colporteur qui porte ses marchandises dans un « ballot » : comme aujourd'hui les voyageurs de commerce, les colporteurs passaient pour avoir le goût de la plaisanterie.

2. Ou comment mettre en parallèle les savates et l'âme.

3. Une double impertinence qui trahit son trouble : elle s'assied près de sa maîtresse, et au beau milieu du banc ; mais il s'agit probablement du banc de jardin : et on a vu (p. 67) que si Félicité se tient dans une pièce distincte de celle où sa maîtresse est assise, il leur arrive de marcher ensemble le long de l'espalier : au grand air, les convenances s'assouplissent !

4. Trait de la langue orale familière qui nous fait entendre Félicité.

5. Au lieu d'écrire : « Bien que ses péchés eussent pu », Flaubert préfère une fois de plus le style indirect libre équivalent de « Le curé, qui se disait pourtant que ses péchés auraient pu... »

monde, se répandre à tous les coins du diocèse[1], M. le curé jugea convenable de ne plus recevoir sa confession que dans la sacristie.

Des bourdonnements illusoires achevaient de la troubler. Souvent sa maîtresse lui disait : — « Mon Dieu ! comme vous êtes bête ! » ; elle répliquait : — « Oui[2], Madame », en cherchant quelque chose autour d'elle.

Le petit cercle de ses idées se rétrécit encore, et le carillon des cloches, le mugissement des bœufs, n'existaient plus. Tous les êtres fonctionnaient[3] avec le silence des fantômes. Un seul bruit arrivait maintenant à ses oreilles, la voix du perroquet.

Comme pour la distraire, il reproduisait le tic-tac du tournebroche, l'appel aigu d'un vendeur de poisson, la scie du menuisier qui logeait en face ; et, aux coups de la sonnette, imitait Mme Aubain, — « Félicité ! la porte ! la porte ! »

Ils avaient des dialogues, lui, débitant à satiété les trois phrases de son répertoire, et elle, y répondant par des mots sans plus de suite, mais où son cœur s'épanchait. Loulou, dans son isolement, était presque un fils, un amoureux. Il escaladait[4] ses doigts, mordillait ses lèvres[5], se cramponnait à son fichu ; et, comme elle penchait son front en branlant la tête à la manière des nourrices, les grandes ailes du bonnet et les ailes de l'oiseau frémissaient ensemble.

---

1. Unité territoriale catholique, qui coïncide souvent avec le département, placée sous l'autorité de l'évêque.
2. Félicité a cru que sa maîtresse lui réclamait un objet mais la réponse produit un effet comique pitoyable.
3. Voir le même verbe à la fin du chapitre I.
4. Comme les barreaux d'un perchoir.
5. Un vrai baiser !

Quand des nuages s'amoncelaient et que le tonnerre grondait, il poussait des cris, se rappelant peut-être les ondées de ses forêts natales. Le ruissellement de l'eau excitait son délire ; il voletait, éperdu, montait au plafond, renversait tout, et par la fenêtre allait barboter dans le jardin ; mais revenait vite sur un des chenets [1], et, sautillant pour sécher ses plumes, montrait tantôt sa queue, tantôt son bec.

Un matin du terrible hiver de 1837, qu'elle l'avait mis devant la cheminée, à cause du froid, elle le trouva mort, au milieu de sa cage, la tête en bas, et les ongles dans les fils de fer. Une congestion l'avait tué, sans doute ? Elle crut à un empoisonnement par le persil [2] ; et, malgré l'absence de toutes preuves, ses soupçons portèrent sur Fabu.

Elle pleura tellement que sa maîtresse lui dit : — « Eh bien ! faites-le empailler ! »

Elle demanda conseil au pharmacien, qui avait toujours été bon pour le perroquet.

Il écrivit au Havre. Un certain Fellacher se chargea de cette besogne. Mais, comme la diligence égarait parfois les colis, elle résolut de le porter elle-même jusqu'à Honfleur [3].

Les pommiers [4] sans feuilles se succédaient aux

---

1. Pièces métalliques qui, posées dans les cheminées, retiennent les bûches. Ils comportent souvent à l'avant une tige haute qui sert à suspendre les instruments liés au feu.

2. Puisque nous sommes en plein hiver, il s'agit sûrement de la graine de persil, qui passe pour avoir des effets redoutables.

3. Flaubert ne nous donne que la pensée de Félicité qui n'a pas besoin de se dire à elle-même que le colis atteindra Le Havre par bateau ; le lecteur le comprendra plus loin dans le récit.

4. Proust (article cité p. 33, note 1) a souligné cette façon de mettre comme sujets des verbes des objets : *« et cette variété des verbes gagne les hommes qui dans cette vision continue, homogène ne sont pas plus que les choses, mais pas moins, "une illusion à décrire". »*

bords de la route. De la glace couvrait les fossés. Des chiens aboyaient autour des fermes ; et les mains sous son mantelet[1], avec ses petits sabots noirs et son cabas, elle marchait prestement, sur le milieu du pavé.

Elle traversa la forêt, dépassa le Haut-Chêne, atteignit Saint-Gatien[2].

Derrière elle, dans un nuage de poussière et emportée par la descente, une malle-poste au grand galop se précipitait comme une trombe. En voyant cette femme qui ne se dérangeait pas[3], le conducteur se dressa par-dessus la capote, et le postillon criait aussi, pendant que ses quatre chevaux qu'il ne pouvait retenir accéléraient leur train ; les deux premiers la frôlaient ; d'une secousse de ses guides, il les jeta dans le débord[4], mais furieux releva le bras, et à pleine volée, avec son grand fouet, lui cingla du ventre au chignon un tel coup qu'elle tomba sur le dos.

Son premier geste, quand elle reprit connaissance[5], fut d'ouvrir son panier. Loulou n'avait rien, heureusement[6]. Elle sentit une brûlure à la joue droite ; ses mains qu'elle y porta étaient rouges. Le sang coulait.

Elle s'assit sur un mètre[7] de cailloux, se tamponna le visage avec son mouchoir, puis elle mangea une

---

1. Petit manteau qui ne couvre que les épaules et sous lequel elle essaie de garder les mains au chaud.

2. Ces noms, désignant des lieux très précis, produisent un effet de réel.

3. Rappelons que Félicité est sourde.

4. Le creux recueillant l'eau au bord de la chaussée.

5. On comprend donc en même temps que Félicité qu'elle s'est évanouie.

6. La phrase rapporte les pensées de Félicité qui parle du perroquet comme s'il était encore vivant.

7. Le tas de cailloux fait un mètre cube.

croûte de pain, mise dans son panier par précaution, et se consolait de sa blessure en regardant l'oiseau.

Arrivée au sommet d'Ecquemauville [1], elle aperçut les lumières de Honfleur qui scintillaient dans la nuit comme une quantité d'étoiles ; la mer, plus loin, s'étalait confusément [2]. Alors une faiblesse l'arrêta ; et la misère de son enfance, la déception du premier amour, le départ de son neveu, la mort de Virginie, comme les flots d'une marée, revinrent à la fois, et, lui montant à la gorge, l'étouffaient [3].

Puis elle voulut parler au capitaine du bateau ; et, sans dire ce qu'elle envoyait, lui fit des recommandations.

Fellacher garda longtemps le perroquet. Il le promettait toujours pour la semaine prochaine ; au bout de six mois, il annonça le départ d'une caisse ; et il n'en fut plus question. C'était à croire que jamais Loulou ne reviendrait. « Ils [4] me l'auront volé ! » pensait-elle.

Enfin il arriva, — et splendide, droit sur une branche d'arbre, qui se vissait dans un socle d'acajou, une patte en l'air, la tête oblique, et mordant une noix, que l'empailleur par amour du grandiose avait dorée.

Elle l'enferma dans sa chambre.

Cet endroit, où elle admettait peu de monde, avait

---

1. Encore une localité qu'on peut retrouver sur la carte.
2. Nous supposons que c'est Félicité qui la distingue à peine.
3. Si la mort du perroquet ne fait pas partie de la liste des malheurs de Félicité, c'est la crainte éprouvée pour sa dépouille qui provoque cet instant d'émotion.
4. Le « ils » des conversations familières : « ils ont encore augmenté les impôts ».

l'air tout à la fois d'une chapelle et d'un bazar [1], tant il contenait d'objets religieux et de choses hétéroclites [2].

Une grande armoire gênait [3] pour ouvrir la porte. En face de la fenêtre surplombant le jardin, un œil-de-bœuf [4] regardait la cour ; une table, près du lit de sangle [5], supportait un pot à l'eau, deux peignes, et un cube de savon bleu dans une assiette ébréchée. On voyait contre les murs : des chapelets [6], des médailles, plusieurs bonnes Vierges, un bénitier en noix de coco ; sur la commode, couverte d'un drap comme un autel [7], la boîte en coquillages que lui avait donnée Victor ; puis un arrosoir et un ballon, des cahiers d'écriture, la géographie en estampes, une paire de bottines ; et au clou du miroir, accroché par ses rubans, le petit chapeau de peluche ! Félicité poussait même ce genre de respect si loin, qu'elle conservait une des redingotes de Monsieur. Toutes les vieilleries dont ne voulait plus Mme Aubain, elle les prenait pour sa chambre. C'est ainsi qu'il y avait des fleurs

---

1. Mot d'origine arabe ; en Orient, désigne le marché. Au XIXe siècle, le terme se répand pour désigner une boutique où l'on vend toutes sortes de choses, dans un certain désordre.

2. Qui ne sont pas de même nature et dont la juxtaposition semble n'obéir à aucune logique.

3. On a dû mettre chez Félicité les meubles dont on ne voulait plus sans se soucier de leur taille.

4. Petite fenêtre ovale ou ronde.

5. Bande de toile remplaçant le sommier pour un lit très ordinaire.

6. Les chapelets, les médailles, les Vierges ne devraient pas être en séries ; plaqués contre le mur, ils évoquent les ex-voto des églises, offerts par les fidèles en remerciement.

7. Souligne la parodie religieuse de cet ensemble d'objets attendrissants et dérisoires, accumulés au bout de la pauvre vie de Félicité, évoquant des « reliques », restes sacrés des saints accumulés dans les églises.

artificielles au bord de la commode, et le portrait du comte d'Artois [1] dans l'enfoncement de la lucarne.

Au moyen d'une planchette, Loulou fut établi sur un corps [2] de cheminée qui avançait dans l'appartement. Chaque matin, en s'éveillant, elle l'apercevait à la clarté de l'aube, et se rappelait alors les jours disparus, et d'insignifiantes actions jusqu'en leurs moindres détails, sans douleur, pleine de tranquillité.

Ne communiquant avec personne, elle vivait dans une torpeur de somnambule. Les processions de la Fête-Dieu [3] la ranimaient. Elle allait quêter chez les voisines des flambeaux et des paillassons [4], afin d'embellir le reposoir que l'on dressait dans la rue.

A l'église, elle contemplait toujours le Saint-Esprit [5], et observa qu'il avait quelque chose du perroquet. Sa ressemblance lui parut encore plus manifeste sur une image d'Épinal [6], représentant le baptême de Notre-Seigneur. Avec ses ailes de pourpre

---

1. Le comte d'Artois : Charles X, deuxième frère de Louis XVI, qui portait ce nom avant de monter sur le trône ; la gravure date donc du début de la Restauration.

2. Partie de maçonnerie.

3. Voir p. 48, note 5. Cette fête tient dans le récit un rôle très particulier, depuis les reposoirs construits avec Virginie jusqu'à la cérémonie durant laquelle Félicité mourra.

4. Tapis de paille tressée qui servent dans les serres pour protéger ou faire de l'ombre, utilisés sans doute pour le fond du reposoir.

5. Ici apparaît explicitement le thème de la dernière partie du récit : toutes les passions de Félicité vont resurgir dans une confusion entre le Saint-Esprit et le perroquet empaillé, par l'intermédiaire de l'image d'un oiseau aux ailes éployées.

6. Planche de gravures très populaires imprimées à Épinal et vendues dans les campagnes par les colporteurs ; elles ont souvent pour sujet des légendes pieuses, des épisodes de l'Histoire sainte (voir « La Procession des Rogations », p. 93). Le baptême du Christ est une image très classique : Jésus, dans l'eau du Jourdain, est baptisé par Jean Baptiste. L'Esprit-saint domine la scène de ses ailes éployées.

et son corps d'émeraude, c'était vraiment le portrait de Loulou.

L'ayant acheté [1], elle le suspendit à la place du comte d'Artois [2], — de sorte que, du même coup d'œil, elle les [3] voyait ensemble. Ils s'associèrent dans sa pensée, le perroquet se trouvant sanctifié par ce rapport avec le Saint-Esprit, qui devenait plus vivant à ses yeux et intelligible. Le Père [4], pour s'énoncer, n'avait pu choisir une colombe, puisque ces bêtes-là n'ont pas de voix, mais plutôt un des ancêtres de Loulou. Et Félicité priait en regardant l'image, mais de temps à autre se tournait un peu vers l'oiseau.

Elle eut envie de se mettre dans [5] les demoiselles de la Vierge [6]. Mme Aubain l'en dissuada [7].

Un événement considérable surgit : le mariage de Paul.

Après avoir été d'abord clerc de notaire, puis dans

---

1. Le participe est au masculin : ce que Félicité a acheté, ce n'est pas l'image d'Épinal, c'est bien « le portrait de Loulou ».

2. Apprécions l'humour de cette destitution.

3. Le perroquet et le Saint-Esprit de l'image d'Épinal (et non le comte d'Artois).

4. Il y a là tout un réseau d'images empruntées aux thèmes religieux classiques : Dieu le Père est aussi « le Verbe », la parole de Dieu, et le Saint-Esprit est lié à la parole puisque c'est lui qui a donné aux apôtres le pouvoir de se faire entendre dans toutes les langues. Le *« ces bêtes-là »* correspond plutôt au langage de Félicité.

5. La formule est un peu familière.

6. Association de chastes demoiselles pieuses qui se chargeaient dans les villages d'honorer particulièrement la Vierge Marie ; le culte marial est caractéristique de cette époque (voir Lourdes sous le Second Empire).

7. Pour garder sa servante auprès d'elle ou lui refuser ce qui pourrait donner un peu de relief social à cette humble existence ? Le lecteur ne le saura pas et sera seulement sensible à la frustration de Félicité.

le commerce, dans la douane, dans les contributions, et même avoir commencé des démarches pour les Eaux et forêts [1], à trente-six ans, tout à coup, par une inspiration du ciel, il avait découvert sa voie : l'enregistrement [2] ! et y montrait de si hautes facultés qu'un vérificateur [3] lui avait offert [4] sa fille, en lui promettant sa protection.

Paul, devenu sérieux [5], l'amena chez sa mère.

Elle dénigra [6] les usages de Pont-l'Évêque, fit la princesse, blessa Félicité. Mme Aubain, à son départ, sentit un allégement.

La semaine suivante, on apprit la mort [7] de M. Bourais, en basse Bretagne, dans une auberge. La rumeur d'un suicide se confirma ; des doutes s'élevèrent sur sa probité. Mme Aubain étudia ses comptes, et ne tarda pas à connaître la kyrielle [8] de ses noir-

---

1. La liste est suggestive : « *clerc de notaire* » : on ne l'a probablement pas gardé ; « *dans le commerce* » est bien vague ; ensuite Paul essaie d'entrer dans diverses administrations.

2. Administration chargée d'officialiser les actes privés. Il ne s'agit pas d'une carrière très brillante.

3. Nous dirions : « contrôleur ». Il a la charge d'un département et pourrait donc avoir Paul sous ses ordres ou le recommander.

4. En mariage.

5. Sans doute les commentaires des deux femmes.

6. Dire du mal en rabaissant ; la fiancée est pleine de dédain pour la petite bourgeoisie dont elle est issue !

7. Chaque mot évoque les mentalités de ceux qui rapportent la nouvelle : il n'est pas neutre que le lieu de la mort soit la Basse-Bretagne, toute proche, mais présentée ici comme un pays lointain ; l'auberge donne l'impression d'errance ; le suicide, considéré comme immoral, n'est d'abord que suggéré ; et, bien entendu, on pense tout de suite à des affaires d'argent.

8. Suite interminable de termes répétés. Le mot vient de « *Kyrie* », premier mot (en grec : « Seigneur ») d'une prière qui est reprise sur un ton assez monotone, trois fois de suite, à la messe.

ceurs : détournements d'arrérages[1], ventes de bois dissimulées, fausses quittances, etc. De plus, il avait un enfant naturel[2], et « des relations[3] avec une personne de Dozulé ».

Ces turpitudes[4] l'affligèrent beaucoup. Au mois de mars 1853, elle fut prise d'une douleur dans la poitrine ; sa langue[5] paraissait couverte de fumée, les sangsues[6] ne calmèrent pas l'oppression ; et le neuvième soir elle expira[7], ayant juste soixante-douze ans.

On la croyait[8] moins vieille à cause de ses cheveux bruns, dont les bandeaux[9] entouraient sa figure blême, marquée de petite vérole[10]. Peu d'amis la regrettèrent, ses façons étant d'une hauteur qui éloignait.

---

1. Compte de ce qui est dû à une date donnée. On se rappelle que M. Bourais gérait les biens de Mme Aubain.
2. Enfant né hors mariage, un scandale à l'époque.
3. Autrement dit (on n'ose même pas le dire !), une maîtresse qui vivait dans un village à 8 km de Pont-l'Évêque.
4. Terme un peu solennel (employé par exemple dans un discours moralisateur, à l'église) pour blâmer des actions honteuses dont on préfère ne pas donner le détail.
5. La langue « chargée », blanchâtre, est un des symptômes classiquement observés par les médecins.
6. Animaux employés pour tirer du sang aux malades : la saignée reste donc bonne contre tout (voir p. 60, note 2).
7. On peut observer ici la rapidité du récit de la mort de Mme Aubain, contrastant avec le long chapitre qui va raconter la mort de Félicité.
8. Les commentaires de l'entourage sont transcrits directement, une fois de plus, dans le texte.
9. Coiffure caractéristique de la première moitié du XIXe siècle, avec la raie au milieu de la tête et les cheveux plaqués de chaque côté du visage se rejoignant en chignon sur la nuque (voir illustration p. 29).
10. Une des formes de la variole, qui laissait des marques sur la figure.

Félicité la pleura, comme on ne pleure pas les maîtres. Que Madame mourût avant elle, cela troublait ses idées, lui semblait contraire à l'ordre des choses, inadmissible et monstrueux.

Dix jours après (le temps d'accourir de Besançon), les héritiers[1] survinrent. La bru[2] fouilla les tiroirs, choisit des meubles, vendit les autres, puis ils regagnèrent l'enregistrement.

Le fauteuil de Madame, son guéridon[3], sa chaufferette, les huit chaises, étaient partis ! La place des gravures se dessinait en carrés jaunes au milieu des cloisons. Ils avaient emporté les deux couchettes, avec leurs matelas, et dans le placard on ne voyait plus rien de toutes les affaires de Virginie ! Félicité remonta les étages, ivre de tristesse.

Le lendemain il y avait sur la porte une affiche ; l'apothicaire lui cria dans l'oreille que la maison était à vendre.

Elle chancela, et fut obligée de s'asseoir.

Ce qui la désolait principalement, c'était d'abandonner sa chambre, — si commode pour le pauvre Loulou[4]. En l'enveloppant d'un regard d'angoisse, elle implorait le Saint-Esprit, et contracta l'habitude

---

1. Il s'agit de Paul et de sa femme, dont le texte parle comme d'étrangers qui ne seraient concernés que par leur héritage !

2. La belle-fille si désagréable dont il s'agissait plus haut. Le paragraphe suivant oppose à cette désinvolture le chagrin de Félicité dépossédée de ses souvenirs.

3. Table de salon, ronde, sur un seul pied central.

4. L'exemple d'ironie de l'auteur à l'égard de son personnage qui traite le perroquet comme un être vivant. Mais remarquer l'expression familière *« le pauvre »* qui, dans la langue populaire, sert à signaler que quelqu'un est mort.

idolâtre[1] de dire ses oraisons[2] agenouillée devant le perroquet. Quelquefois, le soleil entrant par la lucarne frappait son œil de verre, et en faisait jaillir un grand rayon[3] lumineux qui la mettait en extase[4].

Elle avait une rente[5] de trois cent quatre-vingts francs, léguée par sa maîtresse. Le jardin lui fournissait des légumes. Quant aux habits, elle possédait de quoi se vêtir jusqu'à la fin de ses jours, et épargnait l'éclairage en se couchant dès le crépuscule.

Elle ne sortait guère, afin d'éviter la boutique du brocanteur, où s'étalaient quelques-uns des[6] anciens meubles. Depuis son étourdissement, elle traînait[7] une jambe ; et, ses forces diminuant, la mère Simon, ruinée dans l'épicerie[8], venait tous les matins fendre son bois et pomper de l'eau.

Ses yeux s'affaiblirent. Les persiennes n'ouvraient plus. Bien des années se passèrent. Et la maison ne se louait pas, et ne se vendait pas.

Dans la crainte qu'on ne la renvoyât, Félicité ne demandait aucune réparation. Les lattes du toit pour-

---

1. Caractérise la faute grave des personnes qui accordent à des idoles les honneurs et la vénération réservés à Dieu.

2. Prières. Le terme, s'il n'est pas solennel, est un peu ironique.

3. La colombe qui représente le Saint-Esprit est généralement au centre d'un éventail de rayons figurant la lumière divine.

4. Cet état de plaisir extrême qui met la personne comme hors d'elle-même, est donné dans la vie religieuse comme un des effets possibles de la relation avec Dieu. Mais l'extase de certaines grandes saintes a souvent été jugé proche d'attitudes amoureuses.

5. Passage rapide de l'extase mystique à la rente ! On peut comparer le montant de la générosité posthume de Mme Aubain, aux gages de Félicité au début du conte.

6. L'article défini (ici contracté) suggère qu'il s'agit des meubles auxquels Félicité ne cesse de penser, ceux de sa maîtresse.

7. Formule familière encore en usage.

8. Comparer ce nouveau cliché du langage courant, ironiquement repris par l'auteur, au « ruiné par la crapule » (p. 31).

rissaient ; pendant tout un hiver son traversin fut mouillé. Après Pâques, elle cracha du sang.

Alors la mère Simon eut recours à un docteur [1]. Félicité voulut savoir ce qu'elle avait. Mais, trop sourde pour entendre, un seul mot lui parvint : « Pneumonie ». Il lui était connu, et elle répliqua doucement : — « Ah ! comme Madame », trouvant naturel de suivre sa maîtresse.

Le moment des reposoirs approchait.

Le premier était toujours au bas de la [2] côte, le second devant la poste, le troisième vers le milieu de la rue. Il y eut des rivalités [3] à propos de celui-là ; et les paroissiennes choisirent finalement la cour de Mme Aubain.

Les oppressions et la fièvre augmentaient. Félicité se chagrinait de ne rien faire pour le reposoir. Au moins, si elle avait pu y mettre quelque chose ! Alors elle songea au perroquet. Ce n'était pas convenable, objectèrent les voisines. Mais le curé accorda cette permission ; elle en fut tellement heureuse qu'elle le pria d'accepter, quand elle serait morte, Loulou, sa seule richesse.

Du mardi au samedi, veille [4] de la Fête-Dieu, elle toussa plus fréquemment. Le soir son visage était grippé [5], ses lèvres se collaient à ses gencives, des vomissements parurent ; et le lendemain, au petit jour, se sentant très bas, elle fit appeler un prêtre [6].

---

1. Voir p. 35, note 4.
2. *La* côte, *la* poste, *la* rue : façon d'évoquer des lieux familiers.
3. On se dispute l'honneur d'avoir un reposoir devant sa maison.
4. En période de Concordat (accord entre le pape et l'État), la Fête-Dieu a lieu un dimanche et non pas le jeudi.
5. Crispé.
6. Pour l'extrême-onction, sacrement donné aux mourants.

Trois bonnes femmes l'entouraient pendant l'extrême-onction. Puis elle déclara qu'elle avait besoin de parler à Fabu [1].

Il arriva en toilette des dimanches, mal à son aise dans cette atmosphère lugubre.

— « Pardonnez-moi », dit-elle avec un effort pour étendre le bras, « je croyais que c'était vous qui l'aviez tué ! »

Que signifiaient des potins pareils ? L'avoir soupçonné d'un meurtre, un homme comme lui ! et il s'indignait, allait faire du tapage. — « Elle n'a plus sa tête, vous voyez bien ! »

Félicité de temps à autre parlait à des ombres. Les bonnes femmes s'éloignèrent. La Simonne [2] déjeuna [3].

Un peu plus tard, elle prit Loulou, et, l'approchant de Félicité :

— « Allons ! dites-lui adieu ! »

Bien qu'il ne fût pas un cadavre, les vers le dévoraient ; une de ses ailes était cassée, l'étoupe [4] lui sortait du ventre. Mais, aveugle à présent, elle le baisa au front, et le gardait contre sa joue. La Simonne le reprit, pour le mettre sur le reposoir.

---

1. Rapprochement suggéré avec la scène classique du héros pardonnant à ses ennemis avant de paraître devant Dieu : on suppose qu'en écoutant sa confession, le prêtre l'a engagée à se réconcilier avec Fabu.

2. L'article désigne une femme du peuple, qu'on appelle familièrement en féminisant le nom de famille de son mari.

3. Si cette femme simple n'oublie pas son repas, on va voir qu'elle sait ce que représente le perroquet pour Félicité.

4. Filasse dont le perroquet est bourré.

V

Les herbages envoyaient l'odeur de l'été ; des mouches bourdonnaient ; le soleil faisait luire la rivière, chauffait les ardoises. La mère Simon, revenue dans la chambre, s'endormait doucement.

Des coups de cloche la réveillèrent ; on sortait des vêpres. Le délire de Félicité tomba. En songeant à la procession [1], elle la voyait, comme si elle l'eût suivie.

Tous les enfants des écoles [2], les chantres et les pompiers marchaient sur les trottoirs, tandis qu'au milieu de la rue, s'avançaient premièrement : le suisse [3] armé

---

1. Le dernier chapitre mène le récit de l'agonie au rythme de l'arrivée de la procession dans la cour, sous la fenêtre de la chambre de Félicité. Au moment solennel de la cérémonie, lorsque le prêtre pose l'ostensoir sur le reposoir, un mouvement ascendant va de façon très ironique de l'hostie à Félicité dont l'âme monte au ciel sous les ailes éployées... du perroquet, sorte de Saint-Esprit d'« un cœur simple »

2. Depuis la loi Falloux, les instituteurs sont tenus de mener les enfants aux cérémonies religieuses. D'ailleurs tout le bourg est là (voir une image de procession, p. 93).

3. Un Laïc, qui, en grand uniforme, assure l'ordre dans les cérémonies (le premier personnage en haut, à gauche, p. 93). Le nom vient des gardes suisses du château royal.

de sa hallebarde, le bedeau[1] avec une grande croix, l'instituteur surveillant les gamins, la religieuse inquiète de ses petites filles ; trois des plus mignonnes, frisées comme des anges, jetaient dans l'air des pétales de roses ; le diacre[2], les bras écartés, modérait la musique ; et deux encenseurs[3] se retournaient à chaque pas vers le Saint-Sacrement[4], que portait, sous un dais[5] de velours ponceau[6] tenu par quatre fabriciens[7], M. le curé, dans sa belle chasuble[8]. Un flot de monde se poussait derrière, entre les nappes blanches couvrant le mur des maisons ; et l'on arriva au bas de la côte.

Une sueur froide mouillait les tempes de Félicité. La Simonne l'épongeait avec un linge, en se disant qu'un jour il lui faudrait passer par là.

Le murmure de la foule grossit, fut un moment très fort, s'éloignait.

Une fusillade[9] ébranla les carreaux. C'était les

---

1. Désignation familière du sacristain, quui fait le ménage de l'église.

2. Ecclésiastique qui est tous les ordres du curé ; ici, il bat la mesure. La scène a quelque chose de pompeusement ridicule.

3. Le terme est créé par Flaubert : les encensoirs sont les ustensiles qui servent à faire brûler l'encens (autrefois réservé à Dieu) devant l'ostensoir en les balançant au bout de leurs chaînes (en haut, à droite, sur l'illustration p. 93).

4. Nom donné à l'hostie (voir p. 48, note 5) présentée solennellement dans l'ostensoir (sorte de présentoir monté sur un pied).

5. Baldaquin porté au-dessus de l'ostensoir (voir illustration, p. 93).

6. Rouge foncé.

7. Laïcs siégeant au « conseil de fabrique » qui gère les biens de la paroisse.

8. Lourde tunique brodée portée par le prêtre. Remarquer le ton naïf de l'adjectif « *belle* ».

9. C'est en faisant claquer leur fouet que les postillons honorent Dieu qui passe.

Une procession (image d'Épinal)

Photo Jean-Loup Charmet

postillons saluant l'ostensoir. Félicité roula ses prunelles, et elle dit, le moins bas qu'elle put : — « Est-il bien ? » tourmentée du perroquet.

Son agonie commença. Un râle, de plus en plus précipité, lui soulevait les côtes. Des bouillons d'écume venaient aux coins de sa bouche, et tout son corps tremblait.

Bientôt, on distingua le ronflement des ophicléides [1], les voix claires des enfants, la voix profonde des hommes. Tout se taisait par intervalles, et le battement des pas, que des fleurs [2] amortissaient, faisait le bruit d'un troupeau sur du gazon.

Le clergé parut dans la cour. La Simonne grimpa sur une chaise pour atteindre à l'œil-de-bœuf, et de cette manière dominait le reposoir.

Des guirlandes vertes pendaient sur l'autel, orné d'un falbala [3] en point d'Angleterre [4]. Il y avait au milieu un petit cadre enfermant des reliques [5], deux orangers dans les angles, et, tout le long, des flambeaux d'argent et des vases en porcelaine, d'où s'élançaient des tournesols, des lis, des pivoines, des digitales, des touffes d'hortensias. Ce monceau de couleurs éclatantes descendait obliquement, du premier étage jusqu'au tapis se prolongeant sur les pavés ; et des choses rares tiraient les yeux. Un sucrier de vermeil [6] avait une couronne de violettes, des pendeloques en pierres d'Alençon [7] brillaient sur

1. Instruments à vent de la fanfare.
2. Jetées sur le passage de la procession.
3. Volant froncé bordant les rideaux, les jupons.
4. Une dentelle à l'aiguille.
5. Restes sacrés des saints exposés à la vénération des fidèles.
6. Argent doré grâce à une technique d'orfèvrerie particulière.
7. Un quartz que l'on taille pour faire des objets décoratifs.

de la mousse, deux écrans chinois montraient leurs paysages. Loulou, caché sous des roses, ne laissait voir que son front bleu, pareil à une plaque de lapis [1].

Les fabriciens, les chantres, les enfants se rangèrent sur les trois côtés de la cour. Le prêtre gravit lentement les marches, et posa sur la dentelle son grand soleil d'or [2] qui rayonnait. Tous s'agenouillèrent. Il se fit un grand silence. Et les encensoirs, allant à pleine volée, glissaient sur leurs chaînettes [3].

Une vapeur d'azur monta dans la chambre de Félicité. Elle avança les narines, en la humant avec une sensualité mystique ; puis ferma les paupières. Ses lèvres souriaient. Les mouvements de son cœur se ralentirent un à un, plus vagues chaque fois, plus doux, comme une fontaine s'épuise, comme un écho disparaît ; et, quand elle exhala son dernier souffle, elle crut voir, dans les cieux entrouverts, un perroquet [4] gigantesque, planant au-dessus de sa tête.

---

1. Pierre dure de teinte bleue ; le fouillis de ce reposoir rappelle *« l'autel »* chargé d'objets hétéroclites dans la chambre de Félicité.

2. L'ostensoir qui présente l'hostie dans un cadre entouré de rayons.

3. Dans ses brouillons, Flaubert avait associé ces chaînettes à la chaîne du perroquet.

4. La confusion entre le Saint-Esprit et Loulou est totale. On admirera l'effet produit par l'absence de commentaire après cette ultime vision.

Table

IMPRIMÉ EN FRANCE PAR BRODARD ET TAUPIN
Usine de La Flèche (Sarthe).
LIBRAIRIE GÉNÉRALE FRANÇAISE - 43, quai de Grenelle - 75015 Paris.
ISBN : 2 - 253 - 13642 - 5 ⊕ 31/3642/1